国家出版基金项目
NATIONAL PUBLICATION FOUNDATION

《三联经典文库》

第二辑

2012年国家出版基金项目

三联经典文库
120

全面抗战论

潘汉年 著

生活·讀書·新知 三联书店

图书在版编目(CIP)数据

全面抗战论 / 潘汉年著. -- 北京 : 生活·读书·新知三联书店, 2014.1
（三联经典文库第二辑）
ISBN 978-7-108-04455-6

Ⅰ. ①全… Ⅱ. ①潘… Ⅲ. ①抗日战争－中国－文集
Ⅳ. ①K265.06-53

中国版本图书馆CIP数据核字(2013)第050832号

120 全面抗战论

责任编辑 卢 莹
封扉设计 蔡立国
责任印制 李思佳
出版发行 生活·讀書·新知 三联书店
(北京市东城区美术馆东街22号)
邮 编 100010
经 销 新华书店
印 刷 北京市松源印刷有限公司
版 次 2014年1月北京第1版 2014年1月北京第1次印刷
开 本 787毫米×1092毫米 1/32 印张 4.625
字 数 62千字
定 价 17.00元

《三联经典文库》出版缘起

适逢生活·读书·新知三联书店八十华诞，为弘扬传统，接续文脉，回报读者，服务社会，我们决定策划出版《三联经典文库》。

1932年7月，生活书店在上海创办，此后，读书出版社和新知书店相继成立。本文库第一辑、第二辑所选图书，来自于这三家出版单位及其分支机构，以及1948年生活·读书·新知三联书店成立后的出版物，始于1932年，截至1951年，两辑各一百种。此为第二辑，涉及政治、经济、社会、军事、思想文化诸领域，涵盖专著、文集、散文、小说、诗歌、传记、报道等体裁，既有直面现实、追求真理、讴歌真善美、抨击假恶丑的原创作品，又有引介世界各国先进文化、传播新知、开启民智的迻译之作，真实记录了那一代知识分子的思考与探索、理想与愿景和对中华民族文化传承与创新所做出的努力与贡献。

本文库所辑入各书，多为名家名作，在版本方面，以初版一印本或经著译编者审定、修订、增订过的版本为首选，因此本文库又具有较为珍贵的版本价值和收藏价值。

本文库还将编选续辑，使之成为恢弘文化工程。诚挚希望读者给予批评和指正，帮助我们完善编选工作，再现三联经典作品之风采。殊为遗憾的是，由于年代久远，一些原著译编者及其后人未能取得联系并奉付稿酬，诚盼版权所有者与我们联系。祈愿三联前辈所创造的精神财富能薪火相传，为中华文化的伟大复兴增光添彩。

《三联经典文库》编辑委员会

2013 年 8 月

凡　　例

一、本文库为重排本，由繁体字竖排版改为简体字横排版。

一、以忠实于原作、整旧如旧为编辑原则，对当时使用的专有名词、外文译名，以及民国时期的语言和特色予以保留。

一、原书注释如旧，编者所出的注释，均以“编者注”标明，以示与原书注释的区别。

一、对原书残缺或字迹漫漶之处，以□示代。

一、对繁简文本转换时的“如右”、“见左”一类，对应改为“如上（前）”、“见下（后）”。

一、对原书中各种错讹脱衍之处，直接订正，不再以其他符号标示。

一、对数字、标点符号的用法，在不损害原文语义的情况下，做必要的规范。

一、本文库各书均前插原书书影、原书版权页和文库版“本书出版说明”。

一、本书出版说明的撰写，以客观中立为原则，扼要介绍本书的内容、版本流转、著译编者的情况。

本书出版说明

本书是潘汉年关于全面抗战的文章结集，开篇即解释清楚全面抗战不是指全国性的军事行动，而是指“抗战的政治决心”，然后进一步指出全面抗战中政治动员的基点——群众动员，才是确保抗战全面胜利的途径，对当时政府在发动群众上存在的问题，以及如何发动和组织群众，被发动起来的民众可以发挥出哪些巨大的作用以保障抗战的胜利，也做了细致的阐述。还指出，为确保抗战的最后胜利，政府还应该召集国防代表大会，改善与提高军队的教育素质，提醒全民族加强团结，坚持抗战到底，绝不中途妥协。在坚定抗战信念的同时，要展开外交上的“对日抗战新阵势”，可以暂时承认除日寇外其他列强在华利权，以取得其同情中国抗战的立场，从某种程度上牵制日本；还要争取联共；尤其要跟日本断绝外交关系，坚决抗日到底，直到最后胜利的到来！

在抗日战争这个特殊时期，生活书店为唤醒全国同胞的抗日意识，激励全国同胞的抗日热情，出版了一套“救亡文丛”，本书被列为“救亡文丛”第三种，于1937年12月初版，1938年1月再版。本次出版即以再版为底本。

潘汉年（1906-1977），江苏宜兴人。1925年加入中国共产党。曾参加创造社。1927年初任国民革命军总政治部宣传科长。大革命失败后，任中共中央宣传部文委书记、“左联”党团书记、中共中央特科二科科长、苏区中央局宣传部长。1934年参加长征，任中华苏维埃共和国中央执行委员、红军总政治部宣传部长兼地方工作部长。抗日战争和解放战争时期，在上海等地领导对敌隐蔽斗争和开展统一战线工作。1949年后，历任中共中央华东局、中共上海市委统战部长，中共上海市委第三书记，上海市副市长。1955年被错定位“内奸”，后被判刑。1982年中共中央予以平反昭雪。

生活·读书·新知三联书店

2013年8月

生活书店 1938 年 1 月再版书影

救亡文叢之三

全面抗戰論

每冊實價國幣叁角
外埠酌加寄費

著者　潘漢年

發行者　生活書店
上海福州路
第三八四號

印刷者　生活印刷所

中華民國二十七年一月再版

原书版权页

目次

下　编

附　录

上　编

一　全面抗战释

“全面抗战”，“八·一三”以来这四个字是在普遍的被大家嘴里叫着，笔下写着，可谓已成流行的口头语，手头字，为什么我还要加以解释呢？因为现在全国军事动员的范围日益扩大，从察绥到华北，山东沿海到上海，大半个中国的地域上都在进行着激烈的战争，这种全国性的战局，是被一般人误会着这就是“全面抗战”。

目前战争的性质是不同于“九·一八”东北军的抗战，也不同于“一·二八”上海十九路军的抗战。因为这些战争，都是局部的抵抗，就了结当时的战局，不仅在政治上没有完成抗战的任务，即在军事上也没有结束战略上的任务；“九·一八”抗战的结束是丢了东三省，“一·二八”抗战是签订了《淞沪协定》。目前战局的形势，最后胜负，固难一言预计，即以失败前途而言，决不是丢了几省土地，或者仅仅是签订一个不利于中国的什么协定就可了事，即是中国今后能否保存半殖民地独立国家的名义？正因这个战争是有关于中华民族今后能否独立生存的意义，所以被侵略的我们，在卢沟桥事变后，虽说“应战”，而我们一开始的军事动员，就超过了局部抗战的范围，“八·一三”以后，抗战的范围就表现了全国的性质。在部队的调动上，不论那一个偏僻省区，一律在实行动员，战争本身的影响，动摇了全国范围以内的正常状态，不论政治、经济、文化、人民生活，都因战争的影响，起了极大的变动，这是“九·一八”、“一·二八”抗战所没有的现象，可是我们能不能说这就是全面抗战呢？不，带有全国性质的军事行动，还不能称为“全面抗战”。

我在另外一个报纸上说过：“所谓全面抗战，应该是指抗战的政治决心。”如加以更具体的解释，全面抗战应该是在政治方面有切实的办法，必须动员全国人力（军队，人民）、财力、外交、文化（一切教育，娱乐，出版，及其他宣传机关），全中华民族各方面的力量实行全民抗战。我们是被压迫被侵略的民族，在单纯的军事条件上，应当不讳言的承认敌人比我们优越得多，然而我们有战胜敌人的有利条件，就是我们有全国人民敌忾同仇为政府与军事后援的全民力量，这种力量是帝国主义侵略者所没有的。而且由于帝国主义本身与侵略者统治下人民的矛盾，他们不能实现政府与人民一致，军事与人民一致；帝国主义者的侵略战争如延长下去，他们的广大人民必然会起来反对侵略者的统治。可是我们的抗战，是求民族解放，独立，自由神圣的民族革命战争，全国人民必然一致起来拥护这个战争，这就是我们可以战胜敌人优越军事条件的特点。然而，如果我们抗战只限于单纯的全国性的军事动员，不能彻底实现全面抗战的政治决心，抗战的最后胜利还是没有保障！不久以前的阿比西尼亚反对意大利侵略的抗战，正因为仅仅实现全国性的单纯军事动员，没有实现全民族的全面抗战，最后依然遭受了惨败。试问我们现在除掉有了全国范围以内的军事动员外，是不是在实行全面抗战呢？这个答复，可以从政治方面动员的实际状况中得出结论的。

全国的人力，军队是一部分，而且是四万万五千万人口中的一小部分，如何发动全国人民起来拥护政府与军队呢？这就看政府是否彻底开放群众运动，不加任何限制的准许人民有组织一切抗日团体的自由，工人可以自动组织自己的工会，准许工人在工会中讨论与解决工人阶级自己的利益，农民可以自动组织农会，准许农民讨论与解决大多数农民的共同农民的利益，此其一。广泛的武装人民，准许他们参加战争，此其二。没收日帝国主义在华财产，没收汉奸财产，禁绝私人外汇，反对市场投机操纵，统制与军事有关之重要工业，交通，贸易等，提倡国货，及其他一切有利于政府抗战的财政经济政策，此其三。减租减税，优待抗日军人家属，及其他改善民生各项设施，此其四。立即撤回驻日大使，对日绝交，确立自动自主的外交路线，联合有实际帮助我们抗战到底的一切友好国家，联合其他一切被压迫民族，进行国民外交，发动各国人民对我抗战的同情援助，此其五。准许一切抗日救国言论出版的自由，安插流亡学生，训练教育抗日救国各种青年干部，及其他战时文化教育，此其六。只有实现上述各项，加以目前已在实行有全国性的军事动员，方能称为“全面抗战”。

在军事上我们已与日帝国主义顽强抗战相当一个时期了，不论国内国外都一致赞许我们政府在军事领导上英勇不屈的精神，但是我们不要忘记阿比西尼亚单纯依靠军事动员的失败的教训，我们要完成抗战的彻底胜利，必须立即实行全民族的全面抗战！

有个刊物在征求“中国抗战必然胜利的原因”的论文，我想我可以做一个答复：假如政府立即实行“全面抗战”，这就是必然胜利的原因！假如政府始终只有单纯的军事抗战，必然胜利的原因，我就答复不出。

前线的将士不断的在经验上发出军队必须与民众合作的议论，而且有些地区如晋绥线，相当的在执行军民合作的初步工作。我们相信：一切救亡阵线上的爱国分子，无不迫切热望政府当局立即实行全面抗战，以保中华民族这次民族战争的彻底胜利。我们希望政府当局能当机立断，坚决实行全面抗战的一切必要步骤。

十月十三日

二　全面抗战中政治动员的基点

民族解放战争，必须有全国民众的参加，才能获得最后的胜利，这是毫无疑义的。一般的说，现代战争不能依靠单纯的军事力量，必须从军事上经济上和政治上的全部力量来决胜负，特别是被压迫民族，它的武器是决不可能备具得像侵略国的雄厚，所以更不能单独倚靠军事力量来进行反抗侵略者的战争；它只有尽量的把自己的特点，即全民族的政治力量发挥起来，去补救军事上的缺陷。至于怎样来发挥它的政治力量呢？那就是政治动员。

在今天，我们已看到中华民族的神圣的反抗日寇侵略的民族解放战争已逐渐在开始了。前线的战士们，冲锋陷阵，捷报频传；但是后方的民众运动显然还没有和军事行动配合着并进。集中人才的口号虽然久已提出，许多愿意为国牺牲的爱国志士，竟至没有做事的机会。

战区几十万的失业工人不能参加生产工作。无组织的群众遍地都是，他们不但不能去帮助军队，担任救护运输工作，以及补充战斗员，而且也不能维持后方治安，肃清汉奸，力求自卫，一旦敌人的武装侵入，纷乱无秩序的避难者，自相践踏，以致常有伤亡丧失，遇着敌人无理的屠杀时，只有伸着脖子等死，不能抗拒或者还击。敌人看到这个弱点，因此就尽量收买汉奸，捣乱后方，而一部分缺乏训练脱离生产的民众都会受骗而替敌人效劳。这是多么危险！在这种情形之下，前方即使暂时胜利，也是很可虑的。

现在无论在朝在野的一切人，大概总该已明白了解民众运动的重要了吧。然而民众运动要怎样才能发展起来呢？这个问题似乎还没有为他们所注意，我们必须提出这个问题，并指出它的关键来。

民众运动的领导者是社会上的一部分优秀分子，这些分子因为社会地位殊异，各有其思想的立场，在这抗敌救亡的大时代中，**他们必须站在民族立场上结合成一条阵线，然后才能领导民众的大团结**。领导者如果不能实行全民联合的政治决心，要想民众运动的统一和顺利的发展，那是不可能的。

在目前，我们统一抗敌的局面虽然相当形成，然而残余的包办思想与包而不办的现象依然存在着。这种包办思想，对于全民统一阵线的完成，很有妨害。从今以后，希望从事群众运动的领导者，都应当抛弃包办民众运动的企图，**大家必须任劳任怨，把领导的责任共同负担起来**。如果大家能推诚相与，共赴国难，那末，彼此间的互相倾轧、排挤，应当不再存在。已经取得领导地位的集团，也不必再借口什么，来范围与限制民众运动的发展了！

民众运动固然要有民主集中的统一领导，就是整个抗敌救亡的事业也是如此。只有**建立全民族共同统一的领导**，方能完成伟大的全民族全面抗战的任务。没有这个全民族全面抗战领导的政治基点，我们无从汇集与发挥其民族战争优越的政治力量。因为，我们优越的特点，就是**全国一致要求抗战到底的决心**，内部的矛盾必然降低，**而建立起一致为全民族利益而战的共同决心**。在敌人方面，是为少数军阀财阀利益的扩张而战，其内部矛盾不但是无法解除，而且是日益加深。资本主义的高度发展，使阶级矛盾尖锐化，世界经济集团的冲突，更加深敌人内部的矛盾。军事冒险又加重劳苦大众物质上的负担，及无辜生命的牺牲，这一切，难道还不够造成敌方民众怨声沸腾的局面吗？现在他们的军阀法西主义者正在拿侵略可能胜利的话来夸耀，借此麻醉群众，可是群众决不会长此永远忍受着痛苦而不生怨言。假使侵略的魔手遇到我们全民族的坚强的抵抗，而不能得到其向民众预约的胜利时，那些怒气填胸的民众一定会起来推翻他们的统治者——军阀财阀。这就是敌人的政治的弱点。

全民统一的领导的建立，首先就是各党各派的领袖要能够彻底取消过去成见，聚首一堂，在真正民主的基础上，建立强有力的军政领导机关，以保障统一领导的具体实施，来完成抗敌救亡之大业。其次，目前需要一个全民性的最低限度的共同行动的纲领，就是抗敌救亡的政纲。全国民众在这个共同纲领的领导下面，将闻风兴起，欢声载道，必然人人抱着坚决奋斗，为国牺牲的决心，惟民族国家利益是从。四万万五千万同胞团结像一个人似的，只有一个心，只有一个目的，保障全民族战争的彻底胜利！

一九三七年八月三十日

三　如何确保抗战的全部胜利？

目前的国策是抗战到底，“战端一开，我们就不能中途妥协，如果中途妥协，就只有灭亡！”这是我政府当局明白宣布的方针，毫无疑义的。然而，我们若把中途妥协的可能性看做完全没有，那就错了。因为在国策决定以前，主和主战的两种主张，互相对立，是无可讳言的。抗战的方针既定之后，主和论者，虽然暂时不敢言和，但是他们的理论与企图，则依然存在。只要战事上有部分失利，或者国际上来一个调停，他们就会一跃而出，大显身手，到那时候，假如没有严重的制裁，有可能把已在开展着的战局，引到妥协的道路上去。

我们首先要指出：中国民族经济的薄弱，简直失去它在全国范围内的政治上的独立地位，而中国有足以左右全国经济生活的金融资本家，他们是带有严重的买办性，与外国资本互相结合依附，他们是一刻也不会忘记争取避免战争的道路，因战祸所及，使他们已有势力将完全停止其作用，且濒于崩溃没落。这是产生主和，中途妥协主要根源之一。一部分工商业者，因为战争延长，使他们业务停顿，甚至被炮火摧毁，破产的威吓，也使他们幻想妥协的到来。此外城市中一部分小市民，由于战争的不能迅速得着胜利，使他们暂时失业流亡，生活毫无着落，对战争的延长，也发生动摇。所以我们说主和论者，决不是他个人对于战争的怯弱，而是有他的社会根据，且在过去的政治舞台上占有相当的势力。

我们根据“中途妥协，就只有灭亡”的名言，认为必须彻底消灭主和论的政治势力，才能避免中途妥协的危险。最好的办法，是把坚决主张抗战到底的军政领袖来代替这些主和论者的政治地位。就是说，为建立强有力的抗战领导机关，须要相当改变现有的政治机构，依照民主集中的原则，吸收各党、各派、各军事集团、各界的坚决抗战的领袖，到军政领导机关中去，各尽所能，各尽所长，辅助全国领袖蒋委员长领导抗战到底！

为着防止金融资本家对抗战的怠工，坚定工商业者及小市民拥护抗战的决心，与发动千百万劳苦大众参加抗战到底，必须实行非常时期的政治经济设施，简略言之，下列数端为急不容缓之事：

（一）通牒日方，限期撤退海、陆、空军，否则实行对日绝交，宣布过去一切中日条约无效；如暴日继续轰炸我们平民经济文化机关时，立即没收日帝国主义在华财产以充战费。（二）没收罪当处死汉奸之全部财产，以充战费。（三）禁绝资金逃避及严厉取缔市场投机操纵。（四）军需工业、交通工业及对外贸易应由政府统制。（五）自上而下，自下而上，广泛发动群众运动，以启发群众自动积极参加救国运动为原则。（六）迅速武装战区附近群众，开展大规模游击运动配合正规军作战。（七）计划全国救济难民与失业工人方案。（八）实行战时教育，安插流亡学生。（九）提高农村生产，保障粮食自给，酌量战祸所及地区，实行免税减租等，以减轻农民负担。（十）提高军用工业之生产，及改善军用工人之待遇。（十一）相当提高抗战军官士兵之给养，普遍抚恤抗日阵亡将士家属。

以上数端，政府或已在进行中，或已有建议而尚无具体内容，希望在最短期内能全部实现，确保抗战的全部胜利。

一九三七年九月九日

四　群众动员的基本问题

目前的问题是怎样发动群众？与如何组织群众？

仅仅依靠军事动员，没有具体的群众动员的方案，要实现军民一致的持久战，实际上是不可能！正面的历史经验是北伐时代，北伐军尚未出动前，全国军阀统治区域，已经密布了群众斗争的干部，或明或暗的早已在进行广泛的反帝国主义与反军阀的斗争，所以北伐军行踪所及，广大的农民群众与工人群众有组织的风起云涌拥护北伐军。反面的教训，是阿比西尼亚反对意大利侵略的失败，阿比西尼亚在反意的军事动员上，是表现了坚决英勇的顽强斗争，可是始终忽略了发动全国群众起来一致斗争，以致不能完成持久抗战到底！

现在我们中国这次抗战，是没有人敢反对广泛的动员全国群众起来拥护抗战，蒋委员长曾经说过："地无分南北，年无分老幼，无论何人，皆有守土抗战之责任。”（见庐山谈话）这几句话的意义，就是说非全国民众一致起来参加抗战的责任不可。然而问题并不在我们要不要群众起来，**问题是在我们怎样发动群众起来**？

今天日帝国主义积极武装侵略中国，发动全国群众起来为保卫民族生存而斗争，是我们最高的政治目的，可是民族利益不能与广大劳苦群众自身利益分开。假如我们只向广大群众提出民族利益而忽视他们自身的政治与经济利益，群众始终像一盘散沙，你无从动员他们起来。孙中山先生在救国基本方案中提出民生，民权，民族三位一体的基本纲领，就是告诉我们要完成中华民族解放，独立，自由的伟大任务，必须把如何满足群众的经济与政治利益同时解决。**现在我们缺乏的就是具体改善群众生活的政治纲领，——保障与改善工人、农民、学生及其他各阶层群众日常利益的基本斗争纲领**，只有向全国劳苦群众提出他们自身最低限度的要求，才有可能从这个基础上去发动他们起来热烈拥护抗战到底。

第二个问题是如何组织群众？这个问题比较容易解决，一切组织方式都应该有一个基本原则：**就是要适合**

各阶层群众自身利益斗争与保障已得幸福，如工会，农民协会……等，他的机构必须能够计划与领导工人农民最迫切的要求，因此这些群众的基本组织之形成，必须首先发动下层基本群众的自动积极性，然后建立各级代表制度，以平等民主的方式推选各级领导机关。官方党部，只能从旁指导，协助，绝对不可以简单的由上而下以指派包办为满足，因为这种方式，势必忽视在下层群众中艰苦的动员，急于形成一个表面的组织，结果是脱离了广大群众，从此这组织不能在广大群众中起领导作用。目前战争动员，不是群众间没有组织团体，而是没有真正足以领导广大群众合于上述条件的组织。

有了这些工人，农民，学生……基本的组织，为着战争的需要，我们依据这些基础，实行抗战后援工作的动员，就能事半功倍了。如不迅速从这一基本问题上去检讨我们目前动员中的弱点，即使想出了一些办法，也是一时的，狭隘的，不足以适应全国大动员的要求。

九月十七日

五　恢复北伐时代民众运动的前提

全民族的全面抗战，如只有军事动员，而忽视政治动员，是不能确保抗战最后胜利，尽人皆知，已不烦多言。政治动员中最重要者，当以发动全国民众起来拥护抗战到底为目前最迫切之任务。近来报纸上，口头上，已经在普遍提出这个问题，大家眼见得前线英勇将士们前仆后继的浴血战斗，而后方民众组织涣散，对作战军队缺乏热烈援助，以致引起参加当年北伐的将领，不胜今昔之感！是的，北伐时代，革命军行踪所及，民众蜂起拥护，欢迎，欢送，慰劳，救护，向导，担架，茶水，粮食……一切战时供应，应有尽有，此所以我北伐军能迅速完成北伐胜利，民众与军队，关系重要，由此可见。

然而，我们今天看到这些民众工作方面的缺点，能不能说：今天的民众不如当年了吗？或者说：民众不要抗战，这种解释当然只有汉奸才说。我们应当肯定的回答，不是民众不要抗战，而是抗战以前没有发动民众。

南京建都以来，十年有余，因国内政见纷歧，对于孙中山先生之民众运动之基本纲领，亦随之发生各种不同解释，执行民众运动时，尤各行其是，辗转今日，北伐时代原有之民众组织基础，已破坏无余，加以抗战前夜，对民众运动依然有无数事实与法令之限制，卢沟桥事变后，当局对于军事动员迅速完成其各种应有的布置，而对于民众动员不免有落后于军事动员之情况，因此发生今天我们所看到的民众运动方面的严重现象。

现在要克服这种弱点，并不像有些人所说的那样困难，因为有一个基本条件存在，就是中国四万万五千万同胞，除掉少数汉奸不愿中国抗战胜利外，没有一个不是迫切热烈要求抗战彻底胜利，既然有万众一心的要求，组织民众，动员民众服从战争的顺利条件当然存在，只要政府迅速实现孙中山先生的农工政策的基本政治方案，使得每一个工人农民彻底了解抗战之目的不仅求我民族国家之生存与独立，且谋我全国民众生活之幸福与自由有彻底保障。有了这个先决条件，发动全国民众起来拥护抗战到底的力量，谁也不能阻止得了！

其次的问题，只是民众组织方式的问题了。关于这问题，北伐时代的民众组织经验，我想是深印在每一个民众运动的干部的心胸，用不着详细说，简单讲来，可提出几个原则：

一、建立全国民众各界统一组织系统，如工会，农民协会，商会……等，以发动自下而上的基本下层组织，建立各级（如全国，省，市，县，乡，村）民主集中的领导机关，以谋充实目前仅有自上而下组织内容的空虚。

二、各种民众组织，除动员为战争服务外，应绝对允许讨论与解决各界民众自身利益问题，如要求减租免税，保障工资，反对借口压迫剥削等。

三、党政军机关须绝对尊重民众组织之独立性，取消一切足以束缚牵制民众组织发展之禁令，军政机关应接受民众团体各种建议，军政重要会议除军事机要外，当尽量吸收民众团体代表参加旁听，借以沟通双方关系，解除各种隔膜。

以上三点，并无新奇之处，均为北伐时代民众团体组织之特点与经验，故简略提及，以供参考。如空言要求实现北伐时代军民之关系，而无北伐时代实际运动之内容，我敢断言要恢复当年军民一致的那种热烈，雄厚，蓬勃的气象，不是容易！

九月十三日

六　发动广大群众起来反汉奸

奸细，间谍，——在对外战争时统称谓汉奸。在目前抗战局面开展中，消灭汉奸是个迫切重要的任务；因为外来民族的侵略战，侵略者有许多困难条件，非依靠汉奸不能解决。譬如日本对于我们全国政治经济的通盘认识，军备现状，要塞所在，抗战的具体部署……单靠少数浪人，中国通，是不能了如指掌，唯一办法，就是收买汉奸。所以要使敌人在军事行动中，对我茫无所知，首先要肃清汉奸，消灭汉奸。

近日报载，大批汉奸已被当局处死，诚为一快事！可是我们从已经公布的那几个有名汉奸，如黄濬父子一案，就不得不使我们警觉，应当用如何最大的决心，首先来消灭这些隐藏在党政军重要机关里的汉奸！据黄濬父子两个汉奸的教训来研究，我们应当首先得出一个结论，就是：

汉奸生出的来源在那里？现在可以知道，凡是平素对中国抗战没有信心，政治上始终主张亲日，或者整个中国变了满洲国也不要紧，只要他们依然有高官荣爵的那一群奴才，随时随地有走上汉奸道路的可能。黄濬父子身任军政机关重要职员，国家对他的待遇如此优异，居然丧心病狂当起汉奸来，决不是简单贪爱那日本鬼子给他几文的津贴，而是平素在政治上，早已陷入恐日病的心理状态，加以他的亲友朋辈那一套亲日理论与行动，直接策动他当汉奸的勇气。谚云：上梁不正下梁歪，提拔黄氏父子升官发财的恩人，在政治舞台上的势力圈，就是生出汉奸、袒护汉奸的好地盘。所以我们要消灭汉奸第一应当懂得到那里去找汉奸。至于在马路上偶尔捉到一两个身藏日本铜元或者手中藏一包毒药的起码汉奸，要扑灭尽净并非难事，比较费事而要进行艰苦斗争的，就是那些恐日病者，亲日论者，所造成的政治势力范围以内的一些有保护色的汉奸！

因此，要消灭汉奸的第一个课题，应当是站在坚决抗战的政治立场，肃清最高军政领导机关里面可以隐藏汉奸的恶势力。

我们再看到沪战发生第三天，日本空军四出轰炸，并非无的放矢，而是对准了我们秘密的空军根据地，或者平时是秘密设备的地区，可见侵略者平素已在广泛的侦查我们一切，他决不是简单的收买机关里面少数机要分子而能完成他整个耳目，他是早已在我境内布置了所谓侦探网，这个网的构成分子，就是分散在穷乡僻隅的汉奸。我们要铲除这个恶毒的网，单靠肃奸专门机关去执行，是很少能够完全消灭尽净，我们认为唯一的办法，是发动广大群众抗战的积极性，共同起来肃清汉奸。由我们肃奸领导机关，与一切抗战的群众运动团体建立起一个适当的联系，发动每一个拥护抗战的群众，随时随地去考察注意汉奸们的活动。就是要依靠我们后方千百万同胞对于肃清汉奸工作积极性的发展，才能完成我们消灭汉奸的任务。

同时，我们为着要防范乱打汉奸的流弊，我们不仅主张制止随时在马路上乱打汉奸的行为，一律交军法处办理；而且应该把每一个汉奸公开审判，准许各群众团体派代表参加陪审。这种办法有两个好处，第一，避免少数歹人诬谄良民，如有群众团体代表提出反证时，军法处应该尊重民众意见，重新检查。第二，把每一个汉奸的真实罪状公布，让各群众团体代表好回去向各公团报告，以广宣传，教育广大群众如何防止汉奸，消灭汉奸。

我们认为：只有发动广大群众反汉奸的积极性，方能彻底消灭汉奸！

八月二十九日

七　动员民众保障抗战的胜利

蒋委员长在庐山谈话会中演讲曾说过："地无分南北，年无分老幼，无论何人，皆有守土抗战之责任。"这就是指明我国此次抗战必须动员全国民众，来保障弱小民族战争的胜利。阿比西尼亚抗战失败的教训，诚如军事家刘志坚所说："阿比西尼亚政府没有发动整个阿国民族起来抗战，而只是阿国政府与意大利的作战，阿皇虽曾号召全国人民起来抗战，但他没有将整个阿国民众组织起来，予以政治上的武装，而只是各部落间的个别行动，容易被意帝国主义各个击破……"因此，我们不仅要将全国民众加以铁一般的组织，同时还应该武装民众。

日本帝国主义发动的侵略战争，虽然是凭借优越的武器，不是依靠民众的拥护，但是它对于民众的动员并不曾放松，比方民间的募捐，献金运动，种种欺骗的宣传，军队出发时的送行，伤兵归来时的迎接，在华侨民的武装，种种措施，使全国人民卷入热狂的战争氛围里，就可以证明日本当局是怎样地重视民众力量，把他们尽可能的动员起来。虽然这种力量是蒙蔽的，暂时的，但是多数的总力量是不可忽视。这样看来，以有优越的武器的敌人，尚且尽量地动员民众，难道我们这武器落后的被侵略国，还不应该动员民众，补助军事力量的缺陷吗？敌人发动与民众利益相背的侵略战争，明知道是暂时的，而仍不犹豫地去动员，难道我们为民族生存的抗战，民众自动要求与拥护的抗战，还不应该广泛地动员起来，使得巨大的忠诚卫国的民众力量来作无限制的发挥吗？

可是，事实上，当我们抗战爆发以后，民众运动和军事动态并不曾平行地进展。换句话说，在军事上，我们确实是一鸣惊人，我们将士的勇敢和战斗技术都不弱于敌人，甚且比他们优越，我们对于敌人的进攻，的确已经给以有力的打击；可是民众运动的表现，就明显地赶不上抗战的精彩了。这原因，主要就是抗战的领导者对于民众运动的重要性还没有明确的认识，或多或少的受了唯武力论的抗战思想的影响。同时民众运动的方式太狭隘了，少数人包办一切的结果，不但不能动员多数的领导人才到民众中去，而且因为包办不了，形成包而不办的现象。事实上，由下面自发的民众运动是很可能蓬蓬勃勃生长起来的，可惜受了上面的限制，竟至不能动。

首先，我们要纠正唯武力的抗战观。自然我们不否认武力的重要，我们没有武力就根本谈不上抗战，我们没有飞机大炮，也不能减弱敌人炮火的凶焰。可是我们的抗战，并不要等飞机大炮的数量超过敌人的或与敌人相等的时候才发动，也不要把全部抗战的责任摆在军队的肩膀上。因为我们的抗战力量，除了飞机大炮外，还有将士的敌忾同仇心来运用胜算的战术与战略，除了军队，还有无数的民众，但是唯武器论者看不见这些，看不见那蕴藏着的伟大力量。

一个月来的抗战，已经粉碎了唯武器论了。曾有英人某君说："日人拥有强大的海军，附以大队飞机，自信战事可以速决，初不料遭遇华军强烈抵抗，华军以血肉之体，当犀利的炮火，损失固大，而日军之损失亦几与华军损失相等。”（九日《申报》）这是第三者的观察，可以证明敌人炮火并不足怕，因为敌人师出无名，兵不愿战，虽有优越的武器，决不能抵当我迎弹抗战的雄师。同时也证明了全靠军队决不能保证最后的胜利。我们因为民众缺乏组织，形成散漫的，混乱的，汉奸也就乘机而四处猖獗。正好给予敌人以收买来捣乱后方的机会。这决不下于用飞机大炮来掀动我后方民众的恐惧心，或甚至于会磨折抗战的坚决性和持久性，因而有中敌人诡计的可能。

我们目前在军事上看，虽然抵住了敌人的进攻，但决不能轻敌。我们唯一的力量，只有持久抗战的决心，因此不能不积极地广泛地开展民众运动，和军事行动配合起来。我们不但要使每个人民都组织在抗战运动中，而且要使每个人民了解抗战的意义。

民众运动应该怎样开展起来呢？在目前应该采取的步骤，大致有如下的两点：

第一，民众领导机关应该积极地推动下层的组织，号召民众自动地起来组织，对于由下而上自发的民众运动，不加以限制，而给以领导。充分地把由上而下与由下而上的行动适当地配合起来。不过领导者要信任民众，才能这样做。换句话说：我们不要过于怕民众，或以为民众有阴谋；也不要因为怕民众中藏有汉奸而怀疑民众，不许民众自动组织起来。这种消极的关门主义防止不了汉奸，只有民众运动才可以有效的制裁汉奸，消灭汉奸。且看一九二六年某地的农民协会吧！它曾把鸦片禁绝，其效力超过任何严厉的国家法令。即此一端，也可见民众组织力量的有效与伟大。领导民众运动者只要有这一信念，便可以免掉一切顾虑，放胆地让民众广泛地组织起来，并给以普通的政治教育。

第二，民众运动必须从多方面开展起来，才能够达到预期的效果。这就是说，一方面在城市上继续充实各色各样的救亡团体。另方面在乡村里创立民众运动的新规模，开展内地的救亡工作。尤其是战区一带，不论是我军范围以内，或敌人的后方，都应该赶快把民众组织得非常严密。武装民众的工作，也首先要在这些地带实行起来，以便在敌人的周围发动游击战争。有些附近战区的地点，现在虽然不和敌人接触，但万一因阵地变动也有给敌人侵占的可能，如果马上能够把民众组织好，并武装好，则敌人占领的时候，可以出其不意地骚动起来，扰乱他们的军心，破坏他们的阵线。

总之，我们的工作，要好像水银泻地，无孔不入，广泛又周密的干下去，民众运动才会有迅速的发展。我们抗战的最后胜利，也就毫无疑义地可以获得保证。

九月十九日

八　为什么动员不起来?

Daily Herald（编者按：这是英国的工党机关报）的驻华记者，从华北到上海，向我们提出一个问题：

“你们抗战已经一百余日，全国军队已经全部动员参加战争，为什么前方的将领与士兵这样不满意后方群众动员的不够？难道后方群众没有前线将士的勇敢吗？”

我们听了这位外国记者的提问，虽没有汗流浃背，至少有点儿面红耳赤，惶愧不已！这一百多天，前线将士们英勇的浴血苦战，个个在决心拼着头颅，不惜粉身碎骨，实行保护祖国，我们相信后方的同胞，没有一个不在热血奔腾，要起来拥护前线的胜利，“后方群众动员不够”，决不是后方同胞的不够勇敢，而确是开展抗战运动以来表现最薄弱的一环，就是群众的动员问题。

也可以说这是最严重的一个问题！关心中国抗战前途的外国朋友，提出这个疑问，怎么不叫我们中国人自己难过！怎么不叫我们愧对前线将士们以血肉抵抗暴敌的残酷进攻？

现在我们不仅愿意告诉外国朋友，为什么"后方群众动员不够"，而且愿意告诉党政当局及一切热心救亡运动的人们：

第一，到现在为止，当局对于动员群众的领导方针，依然停留在消极方面，各省的抗敌后援会的工作中心，不是放在扶助广大群众组织的发展，而只是限于慰劳、救济、供应、筹募……等，始终对于"凡民族革命运动，欲求成功，必须有广大的民众参加；而农工民众，尤为必须"，（国民党第二次全国代表大会宣言）抱着怀疑和怠工，惟恐农工组织发展，不易控制。殊不知不让群众自动发展组织，群众力量是无从集结与发扬，即使要求民间有广泛的后援，如慰劳、救护、运输……等消极的工作，亦无很大成绩。动员机关下面，如没有各阶层群众自身的爱国团体与独立组织普遍的发展，要求大量动员群众，事实上不可能。

第二，动员的过程中，始终没有重视发动群众积极性的政治领导，抗战中民众应有生活保障，如因战祸所及，实行减租减税，救济失业，制止地主与资本家借口购买救国公债，向农民，工人强迫摊派。据我所知，有不少县政府，除掉准许绅董去摊派外，还有其他名目的附加税要农民负担，有些工厂在实行工资八折，理由是工厂要购救国公债，这种现象，如何能够发动群众起来积极拥护战争？民族利益高于一切，然而我们同样反对借口民族利益，牺牲工农利益，而使少数地主资本家借机发洋财！尤其是发动群众在参加前线或其他兵役任务，对于他家庭生活，没有任何保障，要他毫无顾虑，踊跃上前线，实际上他勉强去了，结果还是要开小差的，政府与动员机关必须要有解决其家庭困难或其他优待办法。所以要提高群众自动起来的积极性，必须有保障与改善群众生活的最低限度的政治实施办法。

第三，一切党政机关，假如不严格淘汰贪污不良官僚政客，地方动员是毫无办法，你任何好的动员计划到他们手上，都立刻变成搜刮，剥削，敲诈……给他瞒上欺下，升官发财的机会，群众衔恨不已，还有什么观念去为国宣劳？等于领导全国抗战的中枢政府，其中依然保留着亲日分子，或者暗中勾搭敌人的“好官”，如何不叫友邦人士认为和平调解，停战妥协，颇有希望呢？

第四，抗战以来，发扬民气，尊重民意，给人民以民主权利，实在非常缺乏，正因为如此，全国群众动员始终由少数人实行统制，既无发动群众应有的积极政治领导，又缺乏保障群众各种组织自由发展的具体办法，于是政府与人民不能打成一片，军队与人民亦不能打成一片，形成单纯的军事抵抗，怎叫前线将士不发生孤军奋斗之感想，政府不能发动广大人民为后盾，亦不免发生难于持久的动摇，结果只有等待第三国出任调停，由此演变，群众失望之心理日深，全国人民动员将成一句空话！“地无分南北，年无分老幼，无论何人，皆有守土抗战之责任。”这是蒋委员长希望全国人民动员起来的宣言，而今结果如此，我们不得不指出，这是由于当局负责动员领导的先生们，没有坚决遵守：“本党将以全力保障人民的一切自由及扶助民众组织起来，使民众能建立自己的势力。”（十五年十月二十七日国民党中央

对全国人民的宣言）

所谓动员全国的群众，便是“使民众建立自己的势力”。不论对内对外的政治领导者，假如能够信任民众自己建立起来的势力，领导者的地位将永存勿衰，换句话说：人家推他不倒。反转来，谁失掉了民众势力的维护，谁就会倒台。国民党当局既不愿暴日消灭中华民族之独立生存，已动员全国军事力量与日帝国主义抵抗，为什么做群众工作的领导者，又不愿意动员全国群众起来为军事抵抗的后盾呢？我相信党政领袖在一定的条件下，是会记起曾经向全国人民宣言过的三句话：

“使本党益信总理主义之实现必依靠民众，盖总理之主义即民众之主义，故欲实现民众主义必须依靠民众自己。”

勉乎哉！国民党从事群众运动领导的同志们，及一切信服孙中山先生革命精神的救亡同志们！

十月二十日

九　广泛的游击战争

——首先武装战区附近群众进行广泛的游击战争

我曾在本刊提出全国动员中一项比较重要的提议：立即武装战区群众，进行广泛的游击战争，配合主力军作战。根据半月来南北战局中的表现，我们这个提议，更有具体阐明和希望军政领导当局立即进行有计划布置的必要。

反侵略的民族抗战，战略原则是恰与侵略者相反。日寇进攻我们的战略是速决速战，我们的战略是持久战，连续不断的抵抗。“抗战的原则，是不让敌人战胜；凡遇没有胜利把握的战役，要经常善于将主力后退，进行持续的，不间断的抵抗。抗战的时间愈能持久，愈能胜利，我们是要逼迫敌军在持久战中继续不断的消耗与损伤，直待有利于我的条件齐备，迅速坚决消灭其一部，

或围攻其一翼。……”（克洛史惠支）

我们退出张家口、南口、宝山等各据点，目的当然是避免敌人战胜我们，要保存我们自己的主力军，进行继续抵抗。但是要完成在持久战中不断的消耗敌人，损伤敌人，以至使他们全线溃退，单靠我们的主力军退出不利的地形与不利的战斗是非常不够的，我们一定要发动战区附近群众起来，给以武装，编成无数的游击支队，在敌人的后方，侧翼，不断的袭击，骚扰，破坏敌人交通，或牵制敌人一小部，或破坏敌人后方的运输，弹药，粮食……等，使得敌人不胜应付，出其不意的遭受到不断的疲惫与不安，造成敌人要前进一里非有长时间与大量的消耗，不能达到目的。

我们看东北四省失陷后，东北义勇军的活动是给了敌人多少打击？这些人民武装的活跃，不仅组织与发动东北四省人民不断的在反抗暴敌，而且牵制了多少敌人的兵力？

我们再看我军退出南口失掉联络一排士兵的活动：华北平绥线我方军队退出南口时，曾有一排兵士失却连络，未及撤退，此一排人乃即利用附近山谷藏身，并受村民的接济，待日军运输队通行山道时，即加以袭击，计击毁日军军火粮秣六列车，并击毙押车日军四十余人，然后从小径安全退出，未损一卒（见二十一日《救亡日报》）。假如我们武装所有战区附近的群众，将有几百倍几千倍这一排士兵的活动，试看那时候的敌人将如何的张惶失措，穷于应付，一筹莫展！

我们因为是被压迫的民族，经济，交通，军事设备，都无可讳言是落后于我们的敌人；然而我们有全民族的民众力量，只要去发动他们，组织他们，信任他们，敌人的优良武器将失去其效力。恩格斯描写美国独立战争时代人民武装的力量，他说：

“在美国独立战争中，人民武装组成的队伍，没有正式严格的军事训练，可是他们知道使用来复枪，他们为自己切身的利益奋斗，所以不像雇佣制的军队，有不少士兵要临阵脱逃。他们并不照英国军队的所希望的办法，用整齐的队列方式，在平原的阵地与英国军队正面对抗，而他们采用分散的，流动的支队组织，隐藏在森林中向英国军队射击。英国的正式军队毫无办法，而遭受那看不见，找不到的敌人的打击。”

此外如十六世纪中叶，荷兰的独立战争，人民的游击队，在腓力第二看来是一群不足畏的游民，结果是把腓力第二在尼德莱的统治推翻了。一七九二年法国革命时，他们组织了全民武装进行反抗当时压迫他们的统治阶级，曾经展开了一般游击战争中的新经验，——在城市实行人民武装的巷战。一八〇八年法国西班牙战争，当时拿破仑占领了玛德里，以为可以顺利征服整个西班牙，不料西班牙人民实行武装游击到处袭击法国兵营，他们使用以少胜多，出没无常，乘其不备的游击战术，来疲惫、牵制、骚扰拿破仑军队，给了自称常胜军的法国军队极严重的打击。目前西班牙保卫玛德里的血战，就是沿用了一八〇八年人民武装游击战术的经验，并发展为保卫都市的巷战。此外如苏联国内战争时代与抵抗联军进攻的胜利都是依靠了武装广大群众，进行游击战争配合主力军，终于战胜了敌人，这更是不久以前的明证。

宝山，杨树浦被暴敌占领，我广大人民以手无寸铁及漫无组织，不仅引颈待死，且暴敌无何顾虑，立即进行汉奸的组织，后方根据地的建筑，迅速完成其军事上一切需要的部署。这一切的一切，就是我们没有及时武装群众，进行游击战争的结果！

各国历史所给予我们的教训，多么深刻而明了，我国当前所受的创伤又多么惨酷而悲痛！这应该可使我们迅速觉悟吧！

现在各地虽有一些别动队，义勇军的组织，大半是过去招集游勇的办法。目前的形势，是需要发动广大群众自我的积极性给以武装，造成战区附近群众性的广大游击战争！至于过去以保甲为基础的壮丁训练，同样不够完成群众自动游击战争的任务，因为大规模的游击队的组成，与广泛的游击战争的开展，非以农民，工人群众为基础是不行的，因为保甲制的基础领导者是豪绅、地主、商人，这些分子在主观上就不可能无条件的抱着破釜沉舟的决心，来领导群众进行游击战争。我主力军在的时候，他们简单的希望主力军能死守城池，保全他们的身家财产。主力军退走时，他们先则逃难，尚有少数分子预备当汉奸，以维持其生命财产！希望他们出任武装群众，开展游击战争的领导，实属缘木求鱼！我们依靠的只有自身利益与民族利益每天不能分开的农民，工人。所以群众游击战争的展开，必须无限制的发扬农民，工人的自动积极性！

至于借口防制汉奸的活动，因此不许民间游击队的发展，我以为不仅因噎废食，且正中日寇的分散我军队与人民一致行动的毒计。把广大的农民，工人，严密的组织起来，并进行武装斗争，那时候不仅调查汉奸，防制汉奸，不用少数官方侦查员费事，而且是彻底消灭汉奸的基本办法！

敌人进攻的方针是这样坚决，难道我们还不应该使用抗战最可宝贵的力量，——广泛开展群众的游击战争吗？至少，首先在战区附近，武装群众，进行游击战争，是刻不容缓的了！

九月二十一日

一〇　改善与提高军队的政治教育

现代战争的军队是否优劣，不应该只是统率部队的将领能否坚决勇敢和善于指挥的问题，而应该是全部兵士的政治质量与素养是否坚强。对外的民族战争，兵士政治自觉性的发扬，尤其有决定军事胜败的意义。

我国军队从袁世凯小站练兵起，结束了御林军的极端封建御用兵制。但是由于帝国主义政治经济的侵略与束缚中国政治并未转入民主时代，名为共和政制，实为封建军阀的割据。北伐以前的军阀混战，实在从小站练兵便种下军阀部队长成的根源。到北伐前国民党在黄埔建立军校，开始创办党军，以后北伐，便现出国民党军与军阀部队的不同，直到南京中央军校成立，几年来造就不少的下级军官，奠定与扩大中央军的基础，于是形成第三时期的中国军队。可是北伐胜利后，并未彻底解决军阀的实际势力，相反的在政治上军制上不少地方为顾全形式上的和平统一，加以帝国主义在背后实力的牵制，倒有不少迁就之处。孙中山先生所要创造的党军，——人民的武装，这个理想总于未能贯彻完成。尤其是十年来政治上反共到军事上剿共，把黄埔练兵时代的政治教育工作，因噎废食的大大的削弱了，而且由政治部改为政训处而党政处以来，并未在普遍实行中央军以外的部队，依然保留了严重的军阀部队的残余习气。——这是无可讳言的事实。

在今天抗日的民族战争开始了，这些保留军阀残余的旧式军队，便立刻暴露了严重的弱点！张自忠，刘汝明，李服膺等违抗军命，张自忠则更进而叛国。我们不能不郑重指出：重新提高部队的政治教育，以加强全国部队的政治的质量与素养，是争取军事胜利的重要工作。

自然，我们目前已经没有像黄埔时代练兵的机会，可是迅速加强各部队如黄埔时代的政治教育工作，是在抗战中便可实行。而且亦只有在民族抗战的过程中，方得顺利的加重政治教育工作的环境。

军队政治教育的中心问题，应该是提高士兵民族自觉的政治水平，依靠政治自觉的基础，才能建立军队中所谓铁的纪律与战斗力的发扬。没有自觉的纪律与战斗力，指挥官统率的效能便大大的减少了。只有依靠广泛深入的政治教育工作，使得每个士兵自动了解民族抗战的重要，方能表现不惜血肉牺牲，不可侵犯民众丝毫利益。也只有这样，方能建立起部队中普遍的不怕死，不投降，不扰民的民族纪律。有了这样的基础，少数上级官长的动摇犹豫，决不足妨碍整个部队，中央即使要处罚或调动某个部队的官长，也决不致于影响某个部队所担当的战局。华北战场上有不少事实上的困难，如廿九军中的一部分，主要是在那些部队中极缺乏必要的政治教育工作。即在淞沪一带，从民间的报告，以及上级指挥官所感觉的苦痛，如军民关系不佳的问题，纪律问题，何尝不是某些部队政治教育有严重的缺点呢?

改善部队的政治教育制度，提高与深入部队政治教育工作，是完成军事胜利的重要条件，愿军事领导当局，立即加以必要的注意。详细具体的计划，我想有了明确的原则之后，当不难草就。

十月六日

一一　召集国防代表大会的建议

国民政府本月四日命令云："查国民大会原定本年十一月十二日召集开会，所有出席大会代表之选举事宜，虽已大体办竣，仍有少数省市及特种选举代表，因事实上之障碍，尚未依法选出，兼以外患突发，御侮孔亟，当选各代表，或在前方后方担任重要工作，未能分身出席，或以交通阻碍，不能准时集合，应予延期开会，一俟代表完全选出，时机适宜，再行定期召集，合予明令宣布，俾众周知，此令。"（十月四日中央社电）

当此御侮孔亟之时，原定国民大会计划，势必延期，这是大家意料中的事，问题在国民大会延期后，在目前这个民族生死存亡的紧急关头，完成民族战争彻底胜利的任务之迫切，真是到了"国民之命运，在于国民之自决"，民国十三年，十一月十三日孙中山先生北上时曾经着重的这样指出："本党若能得国民之援助，则中国之独立，自由，统一诸目的，必能依于奋斗而完全达到。"抗战胜利的先决条件，在乎政府与人民一致，军队与人民一致，因此国民大会虽不能按时召集，而适合于目前战时形势，过渡的民意代表机关之设立，却为刻不容缓。诚如韬奋先生在《抵抗》十八期时评中所说："我们认为在此过渡时期，民意机关仍不可少，因为民族解放的抗战，必须以民众的意志为基础，必须以民众的力量为后盾。"

这个过渡的民意代表机关，应该是决定国防计划，确立施政纲领与法令的最高机关，为着适合全民族全面抗战的政治机构，可以称名"国防代表大会"。国民大会未开，宪法没有通过以前，应由国防代表大会暂时行使以下职权：宣战、媾和、缔结条约、立法、弹劾、罢免、预算、决算、通过救国纲领……等。

这个国防代表大会因为是非常时期的过渡组织，人数不必太多，有一百多人就够了。至于代表的产生，我们提议，由（一）各党派，（二）各民众团体，（三）各军区部队，由这三方面推选代表。我们反对用指派、圈定等办法，为节省时间便利产生代表起见，可由各党派，各团体——包括各界各职业组织，各个军区，自动推举代表。我们也不赞成把原有国民大会选举的基础与这个国防代表大会的选举混淆起来，因为国防代表大会的任务，是适应目前非常时期抗战的需要，和原定制宪的国民大会性质不同。相反的，在抗战胜利告一段落，如需要继续召集国民大会时，在国防代表大会，宣告结束之前，应当负责把原有宪法草案，与国选方案重加整理修改，根据战前战后国内实际政治状况的变动，事实上必然要有一番新的更改。

这个国防代表大会的性质，无疑义是发动全民抗战最理想的民主集中政治机构的发端，也就是根据孙中山先生最精粹的政治思想："当其事者，所宜一切根据正确之民意，乃克有济。"（民国五年中山先生讨袁第二次宣言）民主集权的一个方案。可是法学家如要根据法制学的历史来看我们这个提议，或许要哑然失笑，好在我们不计较这些。等于有人说"现在提议对日绝交是汉奸的宣传"一样的叫我们好笑，说的人也并不计较这个。

至于这个国防代表大会的作用，我们是想"在于把

‘清谈馆’式的代表机关，变为实际‘工作的’团体”（见《国家与革命》）。因为鉴于国难严重，政府机构之中虽有“参”而“议”之的组织，或者“计”而“割”之的委员会，可是多不免“清谈”而不可能甚至也不必要你“工作的”，所以我们提议这个国防代表大会的职权，不仅是表达民意而已，要在国防的任务之下可能行使职权。

政府如仅依靠单纯军事抗战，战胜敌人，事到今日，危机毕露，只有迅速实行政府与人民合作，军队与人民合作的政治动员，才能摆脱危机，立即召集国防代表大会，即为奠定全民政治，全面抗战的初步基础。孙中山先生十三年北上时，即遗教于我们：

“欲使武力与国民深相结合，其所由之途径有二：其一，使时局之发展能适应于国民之需要；盖必如是，然后时局发展之利益归于国民，一扫从前各派势力瓜分利益及垄断权利之罪恶。其二，使国民能选择其需要；盖必如是，然后国民之需要乃得充分表现，一扫从前各派包揽把持隔绝群众之罪恶。”

假如当局不愿意毁弃孙中山先生毕生努力民族革命

的伟大业绩，对于我们的提议，对于我们发挥孙中山先生与民更始的良好传统精神，想可以相当考虑，而勿加以摈弃吧？特别是孙先生的“使时局之发展能适应于国民之需要”，和反对“包揽把持隔绝群众之罪恶”的至理名言，告诉所有的国民党党员，在今天特别要了解尊重民意，与政府必须沟通人民关系，为保证领导民族抗战达到胜利的唯一途径。

召集国防代表大会，实为国民大会延期后一个重要的政治的问题，愿国人加以考虑和注意。

十月十六日

一二　提高民族的警觉性

这次抗战，是我民族生死存亡的关头，摆在我们面前的道路只有两条，不是我们战胜残暴的侵略者，便是侵略者消灭了我们，中间的道路是没有的。所以“七七事变”后，蒋委员长便警告我全体国民，战端既开，只有抗战到底，他着重的指出：“中途妥协，只是灭亡！”

然而，自九国公约会议将在布鲁塞尔举行会议及上海局部变动以来，国内陡然发生一种似云似雾的不良空气，掩盖着一批小丑跳梁的活动，这个活动的内容，便是停战妥协。这不是没有原因，主要是由于抗战已经三月有余，而对外并未坚决执行独立自主的外交政策，对内始终没有严厉打击政权机构中的一批亲日分子与主和论者的官僚政客，尤其是迟迟不进行开放全国总动员的群众运动，因此在九国公约会议的前夜，大多数的人们怀着无可奈何的心境，切盼英美出来对暴日有一手严厉的制裁，可是日来英美方面所表示的态度，不过是："在会议中谈及经济与武力压迫，实非计之得也。吾人之赴会议，志在谋和，而非扩大冲突。"（英相张伯伦在下院的演词）美国呢？罗斯福在本月十五日已经向新闻记者说明态度："九国公约会议之首要任务，端在对于中日纠纷觅取调解方案。"加以日帝国主义运用德意两国在外交上"支持日本之观点"，不仅如此，暴日犹在运用种种狡猾手段，延宕会议之进行，日来消息所传，不外是调解，妥协，停战，于是给热望九国公约会议的同胞们一个严重的心理上的幻灭。日帝国主义者抓住了这一环，策动华北一大群高等汉奸，亲日小丑，公然到上海大施活动。其中最阴险毒辣的一个办法，是沟通南京少数"大吏"，嘱其相机进言蒋委员长，提议与暴日直接谈判和平。我们当然信托最高领袖决不致为少数小丑甘言蜜语而有所动摇，可是这群汉奸的活动，根据对日并非绝交，及著名亲日分子和一贯主和的官僚政客依然追随最高领袖之左右的事实，有意散布各种谣言，致使妥协和平空气弥布一时。由于没有发动广大群众起来，没有一种不可遏制的力量，迅速揭发与打击这些汉奸的阴谋，他们将要进一步利用国际与国内各种不利情况，散布悲观失望的宣传，务使在军政领导者心上，形成一层失败情绪的暗云，好使他们乘机进行妥协和平的阴谋！毒辣的日本帝国主义，他们是巧妙地针对这个现象：

“在各种不利的情况与困难底下，民族失败主义的情绪与思想，必将如毒菌般的发生起来，啮噬着少数不坚定的人的心灵，销磨他们的民族的自信心与勇气。”（洛甫）

没有坚决执行全民族全面抗战中应有的迫切任务，“毒菌”的种子，到了今天是在迅速生长蔓延。假如我们再没有民族的警觉性，认识亲日派与主和论者是阻碍抗战发展与持久的主要因素，没有无限制的广大发动群众运动，是助长这些亲日派与主和论者起了毒菌的作用，抗战前途是难于乐观！

我们前线的英勇将领与士兵，他们在用着血肉、头颅、白骨，在保卫祖国的土地，在争夺中华民族的生存的权利，而我们后方容许这些高等汉奸，亲日小丑，在施无忌惮的破坏我们抗战到底的决心，这是不可一刻忍耐的事情！我们并不否认，在抗战中我们会遭受一些不可免的失败与挫折，可是我们如能迅速发动全国民众的力量起来，一切困难并非不能克服。我们要知道中华儿女，是有他历史上坚强的民族自信心的良好传统，过去中华民族生长发展的历史，是依靠着无数“舍生取义”“杀身成仁”的民族英雄们的鲜血所写就的，假如当局以破釜沉舟的决心，迅予摈弃行政机构中的亲日分子与主和论者，立即发动全国民众起来，我们相信目前虽处于国际国内艰苦环境之中，民间与政府的民族英雄，定可纷纷而起，拥护最高领袖蒋委员长抗战到底，最后的胜利是属于中华。

现在我们是到了生死存亡的关头，我们再也不能放任动摇妥协的分子以及亲日派汉奸，如毒菌般在四处蔓延，他们是要消灭我们民族自信心，而走向“妥协便是死亡”的道路。我们要提高我们民族的警觉性，密切的注意着那些散布悲观、失望、动摇、妥协的主和论者的阴谋！我们要一刻也不能忍耐的打击亲日派，高等汉奸，阴谋和平妥协谈判的活动者！我们要毫不犹豫迟疑，发动与组织全国广大群众起来，拥护前线英勇血战的将士们抗战到底！

一三　坚定民族胜利的信心

我英勇的将士，用他们的血肉白骨保卫大上海已经七十五日，我们的武装中华儿女，前仆后继为国牺牲的悲壮精神，奋发了我全民族抗战到底的决心！从“七七事变”到八·一三淞沪浴血抗战的开始，我们的军事领导当局与全国将领就决心焦土抗战，持久战斗，争取中华民族最后的胜利，现在不过是我们全面抗战的开始，一时的胜利与挫折都无关乎最后的决战。

上海军队退出闸北、江湾，结集主力扼守中山路及京沪线，不过是退出不利的阵地转变到更有利于我们继续战斗的防线，根本说不上东战场整个失利，或者放弃上海，我们要坚决相信：东战场的力量，不仅没有遭受敌人最后的击溃，而且我们相信保卫大上海的最后的雄厚力量，将从退出闸北、江湾的战斗，转变到第二个战局中发挥我们更伟大的战斗威力。只有根本怀疑抗战没有前途的人，或者平常对于抗战发生动摇恐惧的人，才要乘机宣传失败，散布动摇情绪，便利日寇进攻。

我们早已指出，中国这次抗战事业的进行是长期艰苦巨大的任务，我们必须有忍受抗战过程中一切的艰难困苦，才能争取最后的胜利。这是争取民族独立自由解放的持久战争，决没有一蹴即就的可能，决没有一帆风顺，中途毫无挫折或局部失利的可能，只要我们四万万五千万同胞的人心不死，只要我们前方与后方抱着一定要胜利的决心，只要我们每个战士与每个同胞坚定民族胜利的信心，目前的局部失利，临时的一切困难，我们一定能够克服。我们要坚信：最后的失败是敌人，最后的胜利终归于我们！

当此局部战役转变的关头，我们要坚决提防汉奸，亲日分子，以及一切对于抗战消极动摇失败主义的分子，乘机散布失败情绪，企图动摇前方的军心，扰乱后方的镇静，更要严密注意与打击那些高等汉奸利用没有断绝国交，明修栈道，暗渡陈仓的进行妥协屈服的所谓和平运动。这些卖国汉奸的活动，虽不能有所成就，可是他们所散布的悲观失望情绪，在这时候将如毒菌一般的蔓延起来，噬啃着人们对民族胜利的信心，所以我们要耐心的向每一个前方战士与后方同胞，解释完成全面抗战最后胜利的把握，“胜固不骄，败亦不馁”，这是目前具体教育训练每个同胞的时候。

目前是到了生死存亡的关头，全国同胞动员起来，武装起来，肃清汉奸与亲日派的阴谋，拥护前方英勇将士抗战到底！一切救亡阵线上的分子，首先坚定我们民族胜利的信心，像前方将士一样的英勇坚决，抱着为民族解放艰巨伟大任务，牺牲到底的精神，加倍努力工作，记住：最后的胜利是属于我们的！

二十七日晚

一四　“加强我们的团结”

蒋委员长在国庆纪念日，向全国广播讲演，曾郑重提出：“我们已在抗战开始时，证明民族团结国家统一的力量的伟大，我们更要在抗战中间，表现我们的统一，加强我们的团结。”我们坚决拥护与执行这个全民统一抗日的基本方针，反对一切或明或暗违背这个方针的企图和行动；我们完全尊重与实践蒋委员长的意旨：“必先集中抗战的力量，然后方得排除暴敌的侵略。”

可是实现全国团结统一抗战以来，日本帝国主义为着要分离与削弱我们团结统一抗战的力量，一面公开宣传这次大举进攻是反对联共的赤化政策，一面策动汉奸卖国贼阴谋离间，故意制造赤化势力膨胀的谣言，企图把我国内团结统一抗战正在迈步前进的局面，变为对日屈服投降，实行继续内争的状态。换句话说，敌人在努力实行威逼利诱，使我们走上对他退让妥协的路途。当此民族国家生死存亡紧急关头，值得我们每个国民严重警惕，要坚决拥护蒋委员长的加强团结统一，抗战到底的号召；否则不仅愧对这次为国牺牲的忠勇将士与人民，且将使中华民族沦于万劫不复的地步。

随着全国军事抗战展开的民众救亡运动，是支持抗战到底的后盾，然而在运动的开展中，竟有人表现对于团结统一的怀疑与动摇。列举数事，加以解释，希望怀疑者释然，动摇者稳定，不负最高领袖抗战到底的决心。

一、关于“主张妥协和平者就是汉奸”的口号问题。在上海守军于上月二十六晚退出江湾、闸北，坚持在第二道防线与敌军继续抗战，二十七日上海市民表现相当恐慌，一时停战妥协的谣言甚嚣尘上，无疑义是汉奸乘机宣传，扰乱后方的把戏。救亡工作中的积极分子，又探听到由华北到了一批安福系政客，本着他们平素一贯的“中日亲善”、“经济提携”的主张，进行策动妥协和平的活动，因此就有人主张扩大保卫大上海的宣传，并在群众中反对阴谋妥协和平的汉奸活动，曾要求第二天在各报纸刊登一个标语，就是“主张阴谋妥协和平者是汉奸”，《救亡日报》及《抵抗》都实行了。谁知竟引起一部分的人们大大的不满意，认为这个口号是故意诽谤政府的，甚至要追寻这个口号来源是否出诸共产党？对于这一口号的怀疑与动摇，我想完全由于党派成见，好像反对妥协和平的只有共产党！殊不知蒋委员长及其他高级将领早已表示过了，这一口号的提出，不过是打击亲日派与汉奸的阴谋活动罢了。

蒋委员长早在七月十七日在庐山发表谈话，便有：“如果临到最后关头，便只有拼全民族的生命，以求国家的生存。**那时节，再不容许我们中途妥协，须知中途妥协的条件，便是整个投降，整个灭亡。**”这还不清楚吗？要叫政府投降，民族灭亡的妥协和平活动，不是汉奸是什么呢？蒋委员长又说：“至于战端既开之后，则因为是弱国，**再没有妥协的机会，如果放弃尺寸土地与主权，便是中华民族的千古罪人！**”陈诚将军对将士的训话，亦有：“临此最后关头，如果还要避险就易，图保实力，**甚或妄冀中途言和者，那真是亡国灭种的罪人了！**”这里所谓的“罪人”，难道还不够称之为“汉奸”吗？我们真想不到为什么一定要怀疑这个口号是诽谤政府呢？更不能了解平时竟对最高领袖之言行毫无注意，把领袖们的意旨强为怀疑是共产党的口号，殊属可笑！

二、关于改革政治机构的提议。共产党曾公开提议，站在政府与人民相结合的三民主义的民治观点上，主张现政府的组织机构改成民主集中制，容纳各党各派领袖及人民领袖参加管理国事，“抗日是一件天大的事，少数人断乎干不了，勉强干去，只有贻误。政府要是真正的国防政府，他就一定要在组织上改成民主集中制，它是民主的，但又是集中的，最有力量的政府是这样的政府。”（见毛泽东《论反对日本帝国主义进攻的方针办法与前途》）这不过是热望现政府能够顺利完成领导抗战，在组织上必需有所改变的提议，绝对不是像有些人那样怀疑，认为还是想推翻现政府。我们曾坚决反对托派在民族统一战线阶段上提出打倒国民党的口号。在抗战的开始，我们同样反对托派推翻现政府的口号，“因为今天的政府是抗战的政府……我们坚决拥护这个抗战政府，我们用一切力量帮助政府，解决它在抗战中的一切困难，但我们还不能满意于这个政府，我们要求这个政府的进步与改造。”（见洛甫的《政府与人民结合起来》）

我们这种坦白率直的意见，只是为了保障抗战的胜利，诚恳的要求：“政府与人民结合起来，使现在的政府进步到全民的民族的国防政府。”（毛泽东）我们自信：我们是真正拥护蒋委员长抗战到底的领导。那些口是心非的官僚政客，只求巩固一己一系的统治地盘，对于整个抗战政府的改善与加强，必然是不去想，也不肯去想。至于另一批卑污无耻的亲日分子，除掉造就一批叛国汉奸，深藏在政府机构中，破坏国防，泄露军事机密外，便通电敌人的友好法西巨头的代言人，请示如何可使中国政府实行“屈膝”之道。我们认为改善政府的机构，加强人民与政府的关系，不是无病的呻吟。

三、关于彻底开放群众运动的意见。这更不是有利于那一党一派的问题，而是能否抗战到底的先决问题。民族革命的成功，孙总理固早已指示我们“必须唤起民众”，即蒋委员长也指出全国人民大动员之必要，“如果战端一开，那就地无分南北，人无分老幼，无论何人皆有守土抗战之责任。”（见庐山谈话）开放群众运动的提议，就是完成蒋委员长“唯望我全国同胞，不论男女老幼个个人贡献能力，在中央领导之下，各尽责任，共同一致努力奋发！”的号召。我们一点也不明白，为什么又有人怀疑这也是共产党的把戏呢？是的，共产党很强调群众运动，我们只要问开放群众运动于抗战是有利还是有弊，不必去问那一派强调这个口号。我们不说别的，只提前方部队的补充，和前方必须要人民帮助的运输，交通，救护等事，不发动广大群众起来，试问有何办法？我们要毫不讳言：我们是依靠着牺牲无数前线将士的血肉在保卫我们的土地，如果不迅速取消一切群众运动的限制与束缚，和无条件的开放群众运动，单就部队的补充，在持久抗战的需要上，就马上要发生极大的困难。不信任群众组织的力量，不依靠无限制的发动群众自动参加民族解放斗争的积极性，单纯依靠军事抵抗，决无胜利可能，孙总理与蒋委员长早就指出“军民合作”的重要，有何理由怀疑开放群众运动的要求呢？

四、相当改善群众生活问题。要大量动员群众参加民族抗战，要相当解除群众生活的苦痛，这是天经地义。不久以前蒋委员长告去农村服务的学生训词中，就指出：“如果走到农村去看看，农村经济是怎样破产，农民生活是怎样困苦，我们的农村和农民生活如果一天不改善，我们的革命，我们的复兴民族的工作，便一天不能完成。”这已是明白的指出：如果不能立即解除农民不能忍受的痛苦，如苛捐杂税，高利贷，以及历年旱灾，水灾及目前战争所给予的流离失所，一无所有的痛苦，怎样能够发动农民积极去参加抗战的服务呢？工人、学生、店员，都是一样。“为了全民族的总动员，为了使全中国最大多数的人民参加到民族阵线中来，改善工人农民与小资产阶级的生活，是必要的。只要他们的生活能够相当改善，则他们救国的热情更增高，因此他们能够理会到，他们今天的利益与整个民族解放的利益是不可分离的，也不是对立的。因此他们也不会提出超过抗日救国的利益的要求。”（洛甫）所以怀疑我们提出改善群众生活的问题，认为即是强调阶级利益，牺牲民族利益，完全没有根据。我们坚决认为改善群众生活，正是为着提高抗战中的民族最高利益，而且抗战阶段上的群众利益的改进，必然是服从民族利益的。

我们相信我们的一切号召与建议，只有一个目的：为着抗战的胜利！根据蒋委员长的加强民族团结，国家统一的意旨，我们坚决反对任何破坏“精诚团结”的企图。在全民抗战的统一战线的基础上，我们希望：

“应该根据事实，来互相批评，这种批评不应该是恶意的，而应该是善意的，这种批评应该以国家民族利益为第一步，而不应该是违反国家民族的利益的。……一切善意的批评，我们十分欢迎！我们希望国民党及社会上的正人君子给我们这类严正的批评。”（《解放》）

十一月一日

下　编

一五　上海中立区问题

蒋委员长在卢沟桥事变第一次谈话中，已经清楚明白的指出中国是站在抵抗侵略的立场与日本周旋，依据此旨，国际友邦人士应该完全明白我们上海抗战仍然是抵抗侵略的必要自卫手段。因为日本利用租界为军事根据地与后方，我们空军、陆军在作战中，自然不免偶有波及公共租界的安全，可是一切损害的责任，完全应该由日本负责，何况公共租界流弹所及，十之七八为日本大炮高射炮所赐！

友邦人士，为保障公共租界的安全，向我们有善意的建议，我们当然愿意加以考虑。不过中国政府站在抵抗侵略的原则上，有我们的基本立场，就是：第一，各友邦人士应该有具体的军事力量保证，共同协力制止日本利用租界造成军事侵略的优势；第二，中国已占领的虹口租界当由中国警察维持秩序；第三，在虹口、杨树浦及上海周围的残余日本军队全部退回战舰，一律开出吴淞口外五海里。

我们这样提议，没有任何自私之念，不过为着妥当保障公共租界安全的具体办法，也只有这样，才能彻底维持上海租界为中立区。

以上是我们对友邦人士提议上海为中立区的回答。至于我们中国同胞自己对于上海应否停战，亦应该有明确认识。略举数端，以供考虑我们可否实行停战。

从卢沟桥事变以来，日本对华野心已经全部表露，决非某地区暂时停战，可以制止日本的继续侵略。如我们没有一个全面抗战到底的决心，仅仅限于某地某区求得暂时停战，适足以助长日本对我之整个侵略计划之完成！卢沟桥停战谈判，恰巧便利了日本进窥平津，这是眼前不久血腥的经验！因此我们要肯定的指出：假如在津浦、平汉、晋绥等线没有造成军事进攻的优势环境，上海顺利的战争，不能一日停止！上海抗战的继续与扩大，是牵制敌人，分散敌人在华北进攻的一个重要步骤！在华北我们不能迅速的完成进攻的准备，在上海轻言停战，适足以有利于敌人！

我们并不主张无条件的在军事上各个战线都采取进攻姿势，所谓全面抗战，应该是指抗战的政治决心；就是说：事处今日，对坚决实行抗战，已无犹豫考虑之余地，军事上的方针，应当有主要战线与次要战线的分别。华北、晋绥是我们主要出击的方向；上海及沿海各省是我顽强防御的战线；假如华北，晋绥已经开始强有力的进攻，在上述承认上海租界中立区的条件上，停战是对我们有利无失的；反之，有害无益，而徒然有利于敌人顺利的进攻！

我们完全相信政府对此已有全般计划，只是因为友邦人士提出中立区问题以后，政府尚无正式意旨宣告全国，略述一二，聊供全国同胞的参考。

一六　承认上海中立区的外交意义

关于英国在上海区域停止作战之建议，我政府二十五日已正式表示：倘日本予以接受，中国在原则上亦可接受。——这是中央社二十五日的电讯。

我上海自卫战开始的一天，俞市长已经公告各友邦人士：我们为抵御日本侵略实行必要的自卫战，对于各友邦在沪之侨民及财产，当继续负责保护安全。然而在日军利用租界为军事根据地的情况之下，我华军在不得已的应战行动中，当难免偶然波及苏州河南岸公共租界地带，如大世界门前惨剧的发生，我们十分抱憾，可是实际责任在日本，不在中国，各友邦都是一目了然。

我们在上海抗战，目的是抵御暴日的侵略行动，唯一的敌人是日本，其他各友邦如能同情中国抗战立场，而有善意调解办法，在原则上我们当然接受。现在中央社所得中国中央政府对于英国的提议，已经表示原则可以接受，我想不仅表示我们对日本以外各友邦正常外交关系继续与保持，并且展开了对日抗战外交上的新阵势。愿以个人的见解，向国人阐明此旨。

第一，我们要不讳言中国是半殖民地，就是说，除掉日本已经抢夺了我们华北以外，英、美、法、德、意各国，在中国都有相当历史的政治经济上的特殊利益，我们要完成中华民族彻底的独立解放，不是在同一时期内有力量驱逐一切帝国主义，而是首先要打倒直接用武装侵略，占领我国土，甚至要完全亡我国灭我族的日本帝国主义！因此我们认识日本帝国主义对华的野心，客观上就形成了对华主要关系各国家——英、美、法、日在远东的矛盾深刻化，尖锐化，在这个矛盾关系加深的形势下，我们的外交政策无疑应该是：联合英、美、法，孤立日本。

第二，在完成民族解放斗争的基本任务，我们不要忘记了孙总理的遗教：联合一切以平等待我之民族，目前对我国没有领土侵略野心，在经济关系上可以实行平等互惠的原则，只有与我国疆界毗连的苏联。加以日本进攻苏联的威胁，客观上苏联与我们有不可分离的一致利害关系，所以对日抗战，应当联俄，是保障我们抗战胜利的重要条件；但是在联俄问题上，我们不得不注意到英、美对于苏联的矛盾，换句话说，中国要实行联俄，我首先要对英、美表示我们联俄对日抗战，目的只是斩断侵略中国唯一魔手——日本，及收复我们的失地，英、美在华既得利权，决不致因联俄即刻发生动摇。

第二，在全面对日抗战的战略意义上说，在华北是我们进攻，出击的方向，在黄河以南沿海一带，是巩固防御，制止敌人北上或者突进长江腹地牵制我们，所以上海抗战，在整个战略上说，始终只能采取攻势防御。

根据上述三点，我政府接受英国建议上海中立区的原则，是有保障全面抗战胜利重大的外交意义。就是说，我们要用接受英国建议上海中立区的外交手段，展开争取英、美对我抗日战争的实际同情，至少不给借口以便日本勾结英、美共同反对我们。也只有实现了这一步，才能开展英、美对我联俄谅解之基础。根据上海抗战的战略任务，我们不会因为接受中立区的原则，就放弃了我们阻止敌人北上西进的军事防御。

至于中立区的实际完成，不仅不能够单纯依靠我们接受英国的提议，同时还决定日本帝国主义能否撤兵，和今后能否停止利用租界为其进攻我方之根据。因此，我们认为：中立区的完成，英、美、法必须有具体实际的力量，威逼日军全数撤退，此其一。要有具体保证，制止今后日本利用租界为军事进攻根据地，虹口租界及吴淞口内不仅所有日兵及其军舰要一律撤退，即警权亦应由公共租界工部局或上海万国义勇队暂时代理，此其二。

这是个人对于中央政府在原则上接受英国建议的认识。至于少数主和论者，企图无条件上海停战，以谋上海一隅之苟安幸存，当不足为论。

八月二十八日

一七　中苏不侵犯条约的展望

《中苏不侵犯条约》公布以后，我外部发言人曾宣称："此项条约之内容，极为简单，纯系消极性质，即以不侵犯及不协助侵略国为维持和平之方法。"这是非常正确的，因为就约文解释起来，只是如此。不过，这不侵犯条约之签订，究竟还包含着积极的意义，愿约略伸论之。

第一，《中苏互不侵犯条约》的签订，是中国长期抗战的有力保证之一。在过去，日帝国主义常常用挑拨离间或威迫的方法，使我们不敢施行独立自主的外交政策，甚至还想把我国引入国际侵略阵线的圈套。自这《中苏不侵犯条约》签订以后，这一可能性就斩断了。很明显地，中国已决定不做侵略国的俘虏，不但如此，而且不顾侵略国的阻挠，毅然决然地和爱好和平的国家共同奋斗，这是表示中国将以最大的决心维持远东和平，也表示它对于破坏远东和平的日帝国主义，要武力抵抗到底。

第二，这是太平洋集体安全制度的发端。我外部发言人也说过："此举不独对于中苏二国间之和平，多加一重保障。且为太平洋各国以不侵犯之保证，共谋安全之嚆矢。"因为日帝国主义侵略中国，不单是足以危害中华民族的生存，而且和英、美等在远东有权益的国家也有很大的利害冲突，所以英、美等列强在中苏坚定其立场以后，也只有更积极起来反对日帝国主义无限制的侵略，而太平洋集体安全制度可能由此形成。即使日帝国主义利用目前英、美对他还不能有强有力的牵制，继续侵略，中苏条约签订后，太平洋上形势之发展，可以使侵略国陷于孤立，而我们是增强了反侵略者的后援。

不过要发挥这种积极作用，必须由互不侵犯条约进而订立互助条约，因为根据互助条约，则签约国在受第三国的侵略时，应该相互援助，现在侵略国的行动已如野兽一般，仅仅道义上的制裁是没有实际效力的。假使集体安全制度之下没有互助条约来充实维持和平的实力，便和过去的国际联盟对付满洲问题及阿比西尼亚问题一样，空喊反对侵略，而丝毫不能阻止侵略的行动。现在日帝国主义的侵略战争，从华北扩展到华中，《中苏不侵犯条约》恰于这时候签字，将来进而签订互助条约，在事实上已经有迫切的需要，而且应该力求实现。

我们这时候外交上的一切活动，不外是维持和平，反抗侵略。为了这个目的而缔结的不侵犯条约乃至互助条约，都和侵略式的军事同盟不同。军事同盟是对于第三者采关门主义，而不侵犯条约以及互助条约，则欢迎第三者参加；就是侵略国，如果放弃侵略政策，接受和平主张，也可以参加的。不侵犯条约的性质是这样，互助条约也是这样，其光明正大，绝不是简单的军事同盟以至思想同盟（如《日德协定》的公开部分）一类的东西所能比拟。

孙中山先生始终以“联合世界上以平等待我之民族，共同奋斗”为国策，现在政府由签订互不侵犯条约，更进而订立互助公约，给侵略者以更严重的打击，这才是执行中山先生的国策之最积极的表现。也只有展开这积极的外交政策，方能迅速完成民族解放的胜利。

一八　迅速确定胜利的外交路线

抵抗日寇侵略，收复失地，驱逐日帝国主义一切势力出中国，保障我中华民族领土主权的完整，这是我们抗战的任务。外交政策的决定，应当根据这个基本任务来确立抗战时期的外交路线。

“弱国无外交”，这是过去中国人对于帝国主义势力侵入中国以后，每遇外交，总不免屈膝投降，因此流行着这么一句自嘲自解的说法。假如我们不甘受人侵略，要实行抵抗，决不自暴自弃，向侵略者乞怜，以图苟安幸存。我们虽然是弱国，更需要我们有正确的外交。也正因为我们是弱国，动员国内全民力量抵抗暴敌的军事侵略外，需要有正确的外交政策，孤立暴敌，争取外援，助我抗战胜利。假如我们今天的外交目的是向敌人乞怜，甘愿“屈膝”，只图苟安幸存，自然无外交可言！如因我们事实上有大批外交官在各国继续其外交活动，各国外交使节对我外部亦有日常外交关系；不仅如此，我们尚有外交大使驻留敌国境内，敌国外交使节亦仍在我国继续其外交活动，故不能不说我们“有外交”，可是外交的结果是“屈膝”下场，我想这种外交只应该称之为“屈膝外交”！

“八·一三”抗战以来，屈膝外交之理论与实际活动，是相当的被否定了，然而正确的民族革命战争的外交政策，亦没有明朗的宣示与执行，因此尚有一批并非外交官，企图暗渡陈仓的进行屈膝外交活动，什么中国只要承认“满洲国”，日寇军队可以退出关外，什么中国对日减低关税，可以制止日寇走私，什么中国取缔排日教育，可以恢复中日亲善……这一类汉奸宣传，日来引起上海居民极大不安。为什么这一类汉奸宣传会搅扰了上海居民？主要原因是我外交当局迄未宣布明确的外交路线，以致引起人民无谓之疑惧。

根据中国目前抗战的客观形势与主观的要求，我们正确的外交路线，应该是联合对我无领土主权侵略野心，且利害一致，势必共同对付同一敌人的国家，及其他一切不反对我们抗战的国家。

谁是我们利害一致，势必共同对付同一敌人，而且在政治上他确无领土主权侵略的野心？环顾世界与我关系各国，只有苏联。谁是不反对我们抗战到底呢？目前可以肯定的是法国。至于英、美及其他各国，目前虽然在道义的宣传上对我们被日寇残暴侵略已表示同情，能否实际给以援助，尚待我们自己抗战决心的确立，与正确的外交政策之运用。

因此，在外交上我们应该以联合苏、法为主要方向，采取中、苏、法某种程度的同盟方式，向太平洋其他各国，主要是英、美，建设太平洋集体安全制。这一个建设运动，在今天未见得立刻有全部成就，可是在坚定我们决心反侵略到底的立场之后，向苏联订立军事同盟及加入法苏协定，将有具体实现之可能。因为英、美对我们帮助的犹豫不决，并不是同情暴日，甘心袖手旁观，实在由于西欧外交纠纷之严重，英国应付德、意虽非精疲力尽，至少不愿因为在远东制裁德、意的良友——暴日，更加深在西欧外交的困难。然而又不是甘心将在华利益，全部奉送给暴日，于是不得不希望暴日取得整个华北，自动的适可而止。这几天土肥原在山东的活动，日本军部有意无意的放出空气：日军占领沧州、石家庄后，战事可暂告段落，将努力于华北特殊化之工作；这些无烛火药的宣传，更动摇英国立刻积极帮助中国的决心，犹在幻想暴日与他在幕后讲价，以冀保留华南、华中的英国利权。可是我们当认识目前暴日对英的一切诺言，多是动摇英国决心干涉远东的诡计。《尼翁协定》成立，英国仅仅得着几天暂安无事，接着墨索里尼与希特勒两个法西巨头会谈，又立刻叫英国的外交视线向西方转移，暴日会放弃这个在东方可以乘虚一击的好机会吗？既然英国在华利益有继续被侵害的危险，它自己又无余勇应付远东，如我们在外交上允许英、美在华利益毫无减损之有保障的原则下，来进行进一步的联苏联法，首先是与苏联订立互助公约，我想是有绝对的可能的事。

根据这一个基本方针，我们在日内瓦国联的活动，就不简单是争取宣传地位，或者仅仅申诉日寇暴行，乞怜式的要求制裁，而应当是为着完成具体联合苏、法之外交方针，疏通英、美对我谅解，以具体实际材料声斥暴日诬我联苏为赤化之阴谋。在日内瓦活动以外，必须注意到在全世界各国民众间的宣传，我们要争取各国广大人民对我们的同情与援助，他们的行动，他们的呼声，将有力的推动各国政府对我施行具体实际的援助。——特别是美国。

假如我们的外交方针，不把主要联合苏、法为中心，而采取要求英、美出面干涉为主题，势必失败，不仅收复失地的持久战不能彻底，即抗御暴日继续侵略亦为不可能！

所以，在目前不论是对内对外，迅速确立自动的，为着抗战彻底胜利的外交路线，是实际动员全国力量，与争取适当外援，以求抗战最后胜利的迫切要求。

九月二十九日　上海

一九　从敌人封锁海岸说起

日寇海军于上月封锁我东南海岸后，又于本月五日起扩展封锁区域至我全部海岸了。中国因为没有海军，不待日方封锁，我沿海航行事业早已于战事开始就停顿了，这对于我方抗战工作之进行，并无什么妨碍。可是对于第三国的航运与商务，实际遭受了相当的妨碍，虽然日方宣称并无妨碍第三国海运之意图。

据香港六日电，英船泰山号，由香港开驶广州时，途中为日方驱逐舰拦阻两次，意在搜查军火，该轮被迫中途折回。又据八日报载，英商太古公司之芜湖及武穴两轮，六日由华南潮州开沪，在吴淞口外，竟被日方军舰阻止，意欲派人上轮搜查，当经船主严予拒绝，而日方当即提出无理要挟之条件，谓不许该两轮再装难民出口，否则不予放行云云。同时意大利邮船龙山轮进口时也遭受两次搜查，英轮四川号由西贡载米运沪，沿途亦受日舰检查。这些事实，证明各国在中国沿海之航运，已受严重威胁，将来也许更加厉害。因此，日本封锁中国海岸的结果，日本与列强在远东矛盾必然加深。我国必须善于利用这一矛盾，对于日寇封锁我沿海，给以有力严重的回答：

立即取消过去一切中日条约，停付日本外债，赔款，并没收日本帝国主义在华财产！

自从日寇封锁我海岸后，国际舆论无不指责日方行动反国际公法，对华关系各国，且拟采取经济封锁办法制裁日方，据华盛顿六日电，英、美两国间曾非正式交换共同封锁日本的计划，美国海军界人士以为封锁日本较封锁意大利容易，因日本进口货物，除由中国、德国运往者外，其余均须经由英、美所属两大海军根据地——新加坡及巴拿马运河，英、美两国海军当局，并曾向罗斯福总统说明：在上述两处实施封锁行为，可以国联盟约第十六条为根据，且实施封锁后，可在四个月内击溃日本全部实力。综观上述英、美人士之舆论与建议，日寇对华侵略行动之扩大，虽不致立即引起列强之军事干涉，某种程度之经济制裁似有发展成实际之可能，而站在被侵略与敌对地位之我方，除彻底以武力抗战到底外，宣布对日经济关系之断然处置，是其时矣！

日寇不仅以武力侵略我土地财产，且任意轰炸，屠杀我徒手难民与文化机关，我方决无继续付与欠款、赔款及其经济侵略所得之财源，以资日寇进攻屠杀我中华民国及四万万五千万同胞之理！战时法令有以食粮资敌者当以通敌论，罪该处死，今日我正义之抗战已开始，为保障抗战之胜利，不仅对内执行禁止以食粮资敌等事为必须，即宣布对日绝交，撤回驻日大使，自动取消一切中日条约，没收日帝国主义在华财产……等事，已为刻不容缓！否则将不足以在经济上置日帝国主义于死命，更不足以适应全国同胞敌忾之心理，对外抗战，如不能得全国后方同胞热忱之拥护，要求胜利当不可能！今日我徒手同胞一如前线将士，其生命财产已在日帝国主义炮火威胁之下，渴望政府对日绝交，以证武装抵抗到底之决心，以伸人民赴汤蹈火，战死疆场，为民族国家流最后一滴血之热诚！

九月九日

二〇　从暴日轰炸首都说到争取外交优势的对日绝交

日本帝国主义目前对我国不仅不宣而战，即对其他列强在华权益，亦毫无尊重与应有之注意，十九日那天，日海军司令长谷川已公然照会驻京各国官民，务于二十一日正午前退出南京，日机要大规模进行轰炸我首都。英、法各国虽一致对日本抗议，而今昨两日暴敌果然向我首都，广州等处大施轰炸，所谓国际公法，暴日已公然撕毁，大逞兽性！不仅对我四万万五千万人民宣战，且对全世界人类之正义和平宣战！我中华民族虽酷爱和平，正义，可是对此兽性暴行，应该举国一致，敌忾同仇，弃绝对日一切正常外交关系，公告全世界：对此全人类之公敌宣战！诚如蒋委员长所说：我们为保卫领土主权而战，我们为世界人道而战，我们为全人类正义而战！

现在我们虽然已经在抗战中，而驻日大使尚未撤回，过去一切中日条约尚未正式宣布取消，所谓正常外交关系依然存在，凡是这一些我们爱好和平，愿与日本共存共荣的表现，在暴日眼中已成为我们无决心抗战到底的懦弱行动；不仅如此，暴日且认为我们惧怕牺牲，尚在乞怜其他友邦出来干涉，以便结束战争，所以暴日胆敢公然通知各国，实际执行轰炸我首都，其目的在争取迅速逼我们向他“屈膝”！我英勇空军将士，固不惜任何牺牲，已在执行保卫的神圣抗战，但我应付暴日轰炸首都的政治态度，犹不足以昭示全世界，我朝野已具最后决心，不惜任何牺牲，决不屈辱，抗战到底。我们认为，我们应当争取第三者的同情与援助，决不是乞怜与依赖，应该根据太平洋上客观矛盾之发展与变化，我们站在主动的地位来推动和改变对于我们有利的形势。据此，我们只有立即对日绝交，公告友邦人士，非驱逐日帝国主义一切势力出中国，抗战决不休止。如再葸葸多虑，岂只暴敌决心要打击我们对他们“屈膝”，即友邦人士亦难免不作中国预备“屈膝”之观望！

中国在远东之地位，是英，美，法，苏，日共同利益结集之交点，暴日以夺取整个华北，预备进攻苏联，实则以反共反赤为借口，掩蔽其独占中国之军事进攻阴谋，目前中日战争火焰虽然蔓延到华中，华南，而关系各国还是在观察中国当局是否预备放弃华北而换得全国范围内之停战。特别是英，美，德，意至今还是相信暴日取得我整个华北即可下场。所以《尼翁协定》成立，地中海形势虽然暂告缓和，英国尽管在担心远东利权之遭受损害，究竟还在希图不费事而得与日本保持在华之均势，以待前此英日谈判之兑现，我国既未在政治上拒绝一切调停，又与日本维持正常外交关系，乃更助长英国以观究竟之犹豫态度。美国自保自守之中立政策，基于近年来对日投资利益胜于对华数量，非待我国显出抗战到底之决心，以致打击暴日不能继续吸收美国金元投资以及美国在华利益非受严重损失时，势难单独对日行动，其对华态度总不免追随英国之后。法、苏两国虽已表示对我抗战之同情，但同样不知道我们是否有决心站在反侵略阵线到底，到我们在政治上，外交上已具备不妥协、不屈服，一定抗战到底之政治条件，他们的具体帮助当不成问题。德国根据德日同盟之原则，对于暴日目前进攻华中，华南之行动，已厌恶其以反苏联为口号，侵占中国为实际之狡猾态度，如我对日绝交，宣示抗战到底，德国更难同情暴日对他的欺骗。根据上述几个主要关系国家的态度，外交上有利于我们的形势，毫无疑义决定于我们的政治与军事全面抗战到底的决心。

因此，立即对日绝交，宣布过去一切中日条约无效，没收暴日在华财产，是我们争取外援，孤立暴日，保证抗战胜利的重要而急不可缓的步骤！

九月二十三日

二一　我们不要辜负了国际的同情

日本帝国主义强盗对中国施行野蛮残暴的军事侵略，目的在打击我们向他“屈膝”，他再也没有想到四五十天以来对我们中国人民的兽性暴行“将使中国之民众以及全世界之人民，更充分了解日本之野蛮”，“中国已有无限制抵抗之能力”！（见蒋委员长对外记者谈话）

国共两党捐弃过去对内成见，已发表精诚团结，共赴国难之宣言，朱德、彭德怀统率的数万健儿，已接受中央军委统一之番号与编制，已在蒋委员长指挥之下，开赴前线努力杀敌，后方千百工农群众，学生，知识分子，逐渐在要求抗战胜利一个意旨之下，统一团结拥护抗战到底！这些已够证明“中国已有无限制抵抗之能力”。这仅是指国内的一方面，如再观察一下国际上对我同情的表现，更足以说明我们确有无限制的抵抗之能力。

不论英，美，法等国人民，不断的在日本领事馆周围示威，高呼“撤去中国境内之日本杀人犯”，“召回你们的轰炸机”，国际海员工人拒绝对日运输，如英轮塞文里号，原为日商三井洋行所租用，从海防运煤往日本，英籍海员一致静坐罢工，反对代运军需品供给日本侵略中国，并声明宁愿下狱，不愿为侵略中国的暴日服务。芝加哥海员工会，曾努力呼吁，要求美政府实施对日经济制裁。二十二日消息：香港有一只希腊货船装煤去日本，该船有英籍海员三人，于二十日通知船长，彼等反对运煤帮助暴日，他们同情中国，不愿开赴日本，船长不允，他们三人乃跳海泅水而去。英共党领袖卜里特，曾致函英国劳工运动全国执行委员会，提议在国内扩大反日宣传，劝告英国人民援助中国，以反抗暴日侵略行动，并主张（一）组织救护队，到中国战线实行救护伤兵，难民；（二）发起有力宣传运动，请求国联对暴日实施制裁手段；（三）在日本大使馆附近举行大规模示威，以示抗议；（四）由工会通令各码头工人，拒绝起卸由日本运抵英国，或英国运往日本之各种货物。即日本帝国主义本国内的工人阶级，亦在进行罢工及其他手段反对其政府对华侵略，如神户海员已在号召与组织罢工反对军阀，来华日军已不断发现其部队中有日本共党宣传“不打中国”，“反对军部”，“暴动，哗变，枪杀主张积极侵略中国之官长”……等，且已有数次日军哗变之行动。这些仅是我们已经知道的国际工人阶级实际援助中国反对暴日侵略的表现，至于各国其他社会层同情中国之呼声，亦日见普遍。正是因为正义在我，往后国际同情定可有增无减，而暴日势必益形孤立，这是我们“中国已有无限制抵抗之能力”的另一面！

然而我们不要忘记：这一些国际同情之获得，是我们四五十天坚决执行抗战，无敌血肉牺牲所换来的，我们如没有举国一致决死的精神，不仅无从取得国际友邦人士之同情与援助，且辜负了国际人士对我之同情！

所以我们的出路，只有战，战，战，抗战到底，因为不论在国内，国外的条件上来看，我们“中国已有无限制抵抗之能力”！

二二　我们在九国公约会议中要争取些什么？

九国公约会议的举行，无疑义是中国坚决抗战所造成有利于我们的国际形势，因为我们绝不妥协屈服的血肉牺牲，是昭告于世界，日帝国主义野蛮残暴的武装侵略，逼得我们全国人民奋起抗战，不惜以血肉白骨来保卫我们的主权，保卫我们的土地，我们前线的英勇将领与士兵，后方广大的劳苦同胞，在这一百二十天是接受蒋委员长的指示："中途妥协，即是灭亡"，抱着抗战到底的决心。英、美各国最初是等待着我们割地讲和，好像日帝国主义预期夺取华北，只要华北，是不难短期解决，谁知今天的中国，已不是"九·一八"，"一二·九"那时的中国，四万万五千万人民是再也不许向敌人"屈膝"以求和平，特别是暴敌轰炸首都以后，我当局与人民毫无动摇，益增抗战决心，乃使英国，美国诸友邦，不得不重新来计估与考虑远东问题，因为一切预计，都由中国的决心抗战的具体表现所变动，从美总统罗斯福讲演，一直发展到国联主张召开九国公约会议，不过说明中国关系诸国家，要在新的情况下，得出新的结论。

美国已一再表示，他们要首先努力从事停战的调解，前一时期同情中国的呼号，不过是规劝日寇，停止进攻，对于日寇违反九国公约的清算，在英、美外交当局似乎不甚关心，如此，我们中国若仅仅希望九国公约会议的自然发展，得出制裁暴日侵华的结论，难免不是一无所得。

首先我们要指出，我们对于九国公约会议的目的，不是等待参加会议诸关系国来摆布我们，而是我们要根据九国公约而提出日寇违反九国公约的申诉，不让日寇逃避侵略我领土与主权的责任，不仅如此，要关系诸国在法律上负起应有的义务。我们要公告全世界人民，暴日的侵略行动，不仅是进攻中国一个国家，而是威胁与动摇整个世界的和平，凡是一切同情或帮助暴日的国家当局，都是我们全世界人类和平的敌人，这是第一。第二，我们要在会议的活动中，争取我们真正的实际同情者，坚决反对任何有利于日寇的停战，调解，妥协，和平等等结论。因此对于日帝国主义利用意大利及其他国家企图反对邀请苏联参加，我们要有坚决严正的表示。如日帝国主义本身决定出席，而所有关系国家不能通过邀请苏联参加时，我们当认清这个会议的前途不过有利于日寇的外交活动，我们要坚决的表示我们拒绝出席，不愿意受关系国家任何调解。第三，我们不过利用九国公约会议，坚决表白我们抗战的立场，——收复失地，保障领土主权的独立完整，在远东问题的矛盾中，争取我们同盟者，孤立日寇而已，明白一些；利用英、美实际不能兼顾远东危机的发展的今天，与其让它对日妥协保障英、美在远东之利权，不如依靠我们的活动，由中苏的合作，而克服日寇的猖獗，保障英、美在远东的利权。我们要彻底认识，英、美目前只要中国肯停战，他们是认为有把握叫日本在上海撤兵，华北反正中国自己失掉了，暂时叫咱们忍耐一下。果真如此，何啻对日签订城下之盟。与阿比西尼亚之下场，先后并美了！

所以九国公约会议，不过是便利我们外交战的一个有利机会，而并不是必然对我有绝大帮助。相反的，如我一贯“九·一八”，“一·二八”的外交政策，我们可以断言，九国公约会议不过是便利于日本占领我整个黄河以北之土地与主权罢了！

然而蒋委员长已告诉国人:“中途妥协，即是灭亡”，所以我们希望外交当局在九国公约会议前，有合于保障抗战胜利发展的外交部署，如继续抗战开始后那种不明不白，不左不右，听天由命的无路线的外交，九国公约会议将与我们有害无利，幸全国同胞注意及之。

十月廿四日

附　录

二三 “九·一八”六周年纪念

“九·一八”六周年纪念到来了！

如果说，自“九·一八事变”以来，中华民族在日寇疯狂侵略下，过去五年的每一个“九·一八”周年纪念，都是失地，丧权，辱国的惨痛历史累积的回忆，那末，今年“九·一八”六周年纪念的到来，却是中华民族解放史上，以至世界革命史上，都展开了一个最伟大最光荣的新的时代的纪录！

第一，今年“九·一八”纪念的到来，中国在和平团结的基础上，正展开举国一致，抗日救国，进行全面抗战的民族解放的战争，来回答日寇灭亡全中国的侵略。尽管日寇“七七”对华北作新的疯狂的侵略，“八·一三”在上海的进攻，以及一月来日寇在全中国到处的轰炸和袭击，尽管对中国全海岸的封锁，残暴的对我民众的兽行和屠杀，尽管利用亲日分子汉奸的挑拨破坏，然而得到中国的回答的，已经不是“退让”“睦邻”的政策，不是《淞沪协定》,《塘沽协定》的重演，不是国内局部的抗战和反抗，而是全国不分党派，集中国力，铲除汉奸，在坚决拥护政府“抗战到底”的国策下，全面的展开“给打击者以打击”的抗战；以中华民族坚强的“抗日意识”和英勇的“抗日战意”，更加巩固的团结，动员组织全国的力量，以“牺牲到底”的决心，收复失地，驱逐日寇出中国，使侵略者在民族解放战争的面前“屈膝”，以争取中华民族解放的彻底胜利。数月来日寇在侵略战争中所遇到的“华军顽强的抵抗”，在全世界面前，在侵略者的心目中，都表示着中华民族的解放战争是不可战胜的力量。在国内给予恐日病和唯武器论者以事实的回答，消解主和论散布在群众中的毒素，使亲日分子和汉奸，受到无情的铁拳的打击。

第二，今年“九·一八”周年纪念的到来，中国政府正以革命外交的雄姿实现“联合世界上以平等待我的民族，共同奋斗”的中山先生的革命主张，与苏联订立了互不侵犯条约，肃清日寇历年来以“反赤防共”的烟幕，进行其分化国内团结的阴谋；对国外陷中国于孤立和失去联合以平等待我的好友苏联的援助的毒计。如果说过去五年来中国因为没有实现革命外交的政策，而自陷于孤立无援，以改造成日寇肆无忌惮侵略中国的恶果，那末，《中苏互不侵犯条约》的订立，这不但是建立了中国与世界爱好和平国家的团结，而且表示自己站在反对侵略者方面的正义，为反对侵略而展开全面的抗战，为正义而进行革命的外交，这是今年“九一八”周年纪念中最值得我们纪念的一点。同时在维护和平和正义而抗战，能联合世界以平等待我的苏联，中国在英、美、法、德诸列强中同样进行与过去外交不同的阵容，在日寇新的侵略中，我们对于国际的宣传，依据反侵略的神圣抗战，大大的纠正和转变国际的视听，粉碎了日本的对华的诬蔑和挑拨，这一结果，英、美、法诸列强为着自己在远东利益受日寇侵略的损害，为着同情于中国爱好和平的正义，为着中国与苏联结合在国际地位的增高，为着远东和平的维持，特别由于世界舆论对中国的同情，世界爱好和平人士及劳苦大众对中国抗战的拥护，迫使远东集体安全制度，有进一步实现的可能，这是陷日寇于国际的孤立，极有利于中国抗战的胜利的。

第三，今年“九·一八”周年纪念的到来，中国正以抗战的英勇，发挥中华民族的力量，燃烧起一切被侵略的国家革命的巨焰，如西班牙反侵略战争的继续奋斗，韩人台湾民族复国运动的蓬勃兴起，都将给予侵略国家和日寇以巨大打击，尤其日寇国内革命力量的抬头，这更有利于中国抗战胜利的便利条件，而中国抗战的胜利，也给被侵略被压迫民族以极大的巨力。中国抗战的胜利，无疑的将成为被侵略被压迫民族革命胜利的最重要的一环。

“九·一八”六周年的纪念，已不是惨痛的回忆，而于全中华民族兴奋激昂走上民族解放胜利开始的一年！

然而日寇是一个顽强凶恶的敌人，因此争取中华民族抗战的胜利，决不是迅速可以获得的，必须以艰苦、持久、抗战的精神去争取，尤其必须有全民族的政治动员，进行全面抗战的坚决不动摇的国策，必须有民主政治机构的领导，必须有自主的革命的外交政策，必须有排斥和肃清亲日分子汉奸理论的决心和勇气，才能达到不走上“中途妥协就是投降”的道路，才能完成“抗战到底”争取中华民族解放的最后胜利的把握！

“九·一八”六周年纪念的到来，我们希望全国人民对政府的抗战的领导，团结如一个人一样去争取中国民族独立，民权自由，民生幸福的实现！

二四　从辛亥以来的抗日运动到今年的全民抗战

“我们坚信中国人民决不投降日本帝国主义，我们坚信在战场中，他们要动员他们的伟大潜力以抵抗日本，以他们最大精力和侵略者的挑战周旋。在这个战争中，最后胜利一定是中国。”

在中华民国二十六年国庆日的今天，中华民族的每个战士，正在浴血苦战，以抗战到底的决心，来实现这个坚信，来争取这个最后的胜利，来纪念和发扬光大中华民国的国庆！

辛亥革命缔造的国庆，在过去，以至现在由于最凶恶的大敌——日本帝国主义疯狂的压迫与侵略，实际上只是国耻国难的记忆，如果我们不否认辛亥革命以来中日关系的历史是一部血淋淋的中国国耻国难的纪录，那末，我们亦便无否认辛亥以来中国如火如荼的抗日运动，是一部雄伟悲壮的民族解放战斗的历史。

辛亥革命以来，日本帝国主义没有停止过对中国的侵略：在民元联合帝俄提出了“借款国不得危害日、俄在满、蒙的特殊利益”的要求；民二，因张勋部队在南京误杀日本商人，向袁世凯政府提出修筑满蒙五铁路的要求；民三，借口对德宣战，出兵占领我青岛，并提出二十一条灭国要求；民四，五月七日日本以最后通牒，限我于四十八小时以内，完全承认二十一条的灭国要求；民五，日本与帝俄签订以瓜分中国为对象的《日俄攻守同盟密约》；民六，日本运动列强要求承认继承德国在山东的一切权利，运动美国，宣言承认日本在华的特殊利益；民七，日本以西原借款制造中国内乱，威迫中国签订《中日军事协定》，竟派兵驻入满、蒙；民八，日本在巴黎开会要求将德国在山东权利，无条件的让与日本；民十二，旅顺、大连租借期满，日本拒不交还；民十四，屠杀上海工人顾正红；民十六，日本在北伐时借口保侨，出兵山东，占领胶济路线；民十七，日本又出兵山东，占领济南，并且围缴我国军队武装，屠杀我外交官蔡公时及济南爱国群众万余人；同年在北宁路又炸死我东三省长官张作霖。自民二十，“九 · 一八”以后六年以来日本更武装占领，并吞我东四省，成立伪满洲国，进攻上海，强迫签订《淞沪协定》，攻我冀察，迫订《何梅协定》，策动华北五省自治，成立冀东伪政府，要求承认对华三原则，增兵华北，策动走私，占领察北六县，进犯绥远，以到现在“七七”卢沟桥的进攻，“八 · 一三”上海的侵略。二十六年来日本帝国主义在经济的、政治的、军事的压迫与侵略，难道还不明显的表现出穷凶极恶的对于中华民族的领土掠夺、破坏行政主权的完整，并吞全中国的毒计吗？难道还不是中华民国严重的国难和丧权失土的惨痛国耻吗？

然而，中国人民决不投降日本帝国主义的，中华民族的子孙他们以自己“最大精力和侵略者的挑战周旋”和反抗。我们不一一想列举一切的抗争运动，我们只举辛亥以后尽人皆知的抗日史实叙述。民国八年的五四，中华民族男女为了反抗日本帝国主义强盗的奴役中国，为着反对袁世凯的卖国汉奸政府，以革命的群众力量，殴打卖国贼曹陆辈，罢课、罢工、罢市，抵制日货，经济绝交，开展了中国空前的民众的民族解放运动，反侵略帝国主义，反卖国汉奸的伟大斗争，而阻止了巴黎和会的卖国签字；惨痛的“三·一八”，革命的学生以英勇的斗争，壮烈的牺牲，反对日本强盗的炮击大沽口，反对段祺瑞的亲日媚日政府；震动全世界的五卅运动，更是中国抗日运动发展到以工人阶级为骨干而燃烧起民族革命的怒火，回答日本强盗屠杀工人领袖顾正红，由于五卅在上海南京路示威运动的发展，形成弥漫全国的反帝斗争，在流血的牺牲下，罢工、罢课、罢市，全国工、农、商、学、兵联合一致的进行反日反帝的民族解放斗争，来反对北洋军阀对日本及一切帝国主义的卖国投降，孙中山先生的革命的三民主义，便在全国反日反帝斗争的浪潮中，迅速的得到全国民众的拥护，因此，五卅运动的推进，方有力地开辟出国民革命军北伐的胜利道路，掀起了一九二五——一九二七年的中国大革命的高潮。一九二七年日本出兵山东，乃引起上海、广州各地民众先后举行反日示威，引起了日本国内民众的同情，起来反对自己日本政府，迫使日本帝国主义在山东撤兵。“九·一八”以来日本帝国主义进行武装侵略，来实现征服全中国的大陆政策，在这一新的侵略中，我们看见了前仆后继从未间断过的反日斗争，齐齐哈尔马占山将军的抗战，“一·二八”十九路军淞沪抗战，李杜、苏炳文在黑龙江的抗战，冷口、喜峰口的抗战，察哈尔抗日同盟军的兴起，在这些浴血抗战中更生产了东北抗日联军，几年来如一日的与日帝国主义不断的作英勇顽强的抗战，全国民众抗日情绪高涨，曾有各式各样的反日行动，反对不抵抗主义，反对亲日政策，要求政府出兵收复失地，抗日救国团体普遍发展，虽然那时候当局的政策与民众要求反其道而行，民众没有抗日救国的行动自由，但究竟不能抑制全国抗日运动的高涨，“一二·九”、“一二·一六”的救国运动，在重庆、北海、上海、山西的抗日示威行动，又继续燃烧起全国抗日救亡的怒火，国内在野政党不断呼吁和平，停止内战，一致对外，去年绥远抗战，在全国民众一致拥护的基础上，一举击溃日本强盗的伪军，收复百灵庙，大庙子……等地，开始了中华民族收复失地的先声；特别是西安事变时，中国共产党采取了坚决的和平统一，团结御侮的主张，奠下了国内统一，共同抗日的基础，加以东北抗日联军年来不断的浴血斗争，他们那种艰苦，顽强，英勇抗战的精神，兴奋了每个中华民族子孙抗日救亡的意识。由于上述辛亥革命以来的反日斗争历史的发展，造成了今年“七七”卢沟桥事变及“八·一三”虹桥事件，日寇大举武装进攻中国新的严重形势中，我中华民族全国的子孙便在二十六年的国庆纪念的前夜，展开了举国一致全面抗战的序幕，两个月以来的血肉抗战的胜利，开展了争取中华民族自由独立解放的胜利前途！

如果说二十六年以前辛亥革命的双十节纪念，我们是在忍辱含耻苦痛中过来的，那末今年的国庆纪念日，可以说是在雪耻图存，进入民族革命的战争中来庆祝与纪念我们先烈辛亥革命的双十节！

然而抗战胜利的保证，决定在我们抗战到底的决心，我们必须全国不分党派，不分阶级，举国一致，团结像一个人似的，不再遭受暴敌分化，离间的毒计，决不中途妥协，苟且幸存。必须动员全国人力，财力，物力，一切服从战争。因此给全国人民以民主权利，民生幸福，——实现最低限度抗日救亡的明确政纲，肃清与反对汉奸和亲日病者，开放民众运动，实现人民与武装密结一起不可分离，是我们纪念今年双十节必要的决心！二十六年来日本帝国主义的残暴侵略与我们二十六年来不断的反日运动，决定了我们今年纪念国庆的历史任务，愿全国上下一致尊重我们祖宗用血写就的中华民族的光荣历史！

二五　今年国庆纪念的历史任务

如果说辛亥革命之所以伟大，辛亥革命的双十节之所以成为国庆，是在于辛亥革命是推翻满清专制的民族革命双十节，是建立民主共和国的纪念日；那末，我们可以说，辛亥以来的反日反帝运动，发展成为今年正在开展着的民族革命解放的反日抗战，应当是中华民国历史上最伟大光荣的一页，今年的国庆，将是民国二十六年来最可庆幸的国庆纪念。因为辛亥革命的民族革命，只是完成民族解放任务的一部，并没有完成民族解放的全部，——没有从帝国主义尤其在我们民族的大敌——日本强盗的铁蹄下解放出来，现在的抗战，无疑的是在完成辛亥革命没有完成的任务。然而辛亥革命以来，国内并没有真正建立起民主政治，和实现民生幸福，所以这一抗战的彻底进行，必须迅速实现民主政治和民生幸福。而民主政治的实现，正是名符其实的来完成双十节，所以成为国庆纪念的意义和价值。

然而我们在国庆纪念的面前，并不是只要我们来背诵历史，最重要的是要我们在历史教训中来改造我们的历史。一部抗日历史教训我们什么呢？

它教训我们一切对日本的退让、投降、睦邻、不抵抗，和依赖国联等等的政策，血的历史，都证明不仅不可能缓和日本强盗对中国的进攻，和灭亡中国的毒计，相反的只有加速中华民族的死灭，和沦中国于殖民地化的过程。

它教训我们只有依靠发挥全中华民族子孙的抗争力量，只有仗着自己全国不分党派，不分阶级团结一致如一个人一样的与敌抗战，只有尽量给全国人民以民主权利，民生幸福，只有总动员全体人民全国财力物力，只有肃清和排除抗战中亲日汉奸和恐日病患者，只有抗战到底，绝不动摇的争取独立自由的国策，只有尽量把民众运动与抗战武力密结到不可分离的程度，才能以中华民族伟大的潜力以抵抗日本，在这个斗争中，取得最后胜利。

它教训我们在依赖自己坚决抗战的基础上，毫不动摇犹豫的与世界上以平等待我之民族与被压迫的民族共同奋斗，与我们当前大敌以外的友邦取得同情的援助和善意的中立，才能获得在“外部战线”的帮助，而粉碎我们的敌人。

因此，放在我们民族抗战任务的面前，我们必须以最高的警惕和虚心的自我检查，来注意我们在今日还存在着那些立须执行的任务。我认为：

一、我们今天的确已经决心抗战了，然而我们不讳言我们的抗战限于单纯的军事动员，并没有展开政治动员，把全国全民族的人力和物力都动员到抗战中来，这里我们不能不认为有迅速在全国范围内放开民众运动，在群众中恢复如北伐时代那样而适合于现在的组织，在军队中进行政治教育的组织等等，给予人民民主权利，如集会、行动、言论自由，全国范围内释放全部政治犯等等，改善民众生活，如有计划的救济、安插、分配难民和失学者到生产部门中去等的必要。

二、我们已经与敌血战了，虽然国民自动的在发动经济对日绝交了，然而我们政府并没有毅然决然宣布与日绝交，这在国际关系上说是不能严肃和正确观听与表示我们抗战到底的决心。在国内情形说，是不能坚强全国全民族对于政府抗战国策的信心，而那些动摇阶层，亲日分子，汉奸，恐日病者却给予偷运与敌妥协和平的毒素，散布到政府机关和群众中去的机会。国联到今天还不敢采用日本是侵略国的字样，这虽然由于帝国主义间自力利害的矛盾，然而我国到今日还没有宣布绝交，不能不是重要因素之一。

我们要毫不犹疑的只要对于抗战有利的条件和政策，我们要坚决的做去。动摇犹豫，只有对敌人的帮助，而打毁自己。

我们相信，历史教训我们怎样做，我们就在教训当中，去改造我们的历史。我们要从压迫在日本帝国主义铁蹄下的历史，以坚决的抗战，改造成自由独立的民主国家的历史。在国庆日的面前，我们要依靠自己的民族抗战力量，达到：

“最后的胜利，一定是中国的。”

三联经典文库第二辑简目

《游击战教程》　明凡 / 著

《游击战术纲要》　陶剑青 / 编著

《汪精卫卖国的理论与实践》　钱俊瑞 / 著

《抗战以来》　韬奋 / 著

《陕行纪实》　楚云 / 著

《随军散记》　沙汀 / 著

《被日寇囚系半载记》　王研石 / 著

《倭营历险记》　房沧浪 / 著

《活跃的新西北》　田影 / 编著

《保卫华北的游击战》　刘清扬　陈北鸥等 / 著

《徐州突围》　《徐州突围》编委会 / 编

《沦亡的平津》　长江　小方等 / 著

《淞沪火线上》　胡兰畦等 / 著

《瞻回东战场》　长江　罗平 / 著

《东线的撤退》　胡兰畦等 / 著

《抗战中的西北》　徐盈 / 著

《鲁闽风云》　徐盈等 / 著

《西线生活》　西北战地服务团集体创作

《中国解放区见闻》　［美］福尔曼著 / 朱进译

《全面抗战论》　潘汉年 / 著

《日本的间谍》　范士白自述 / 尊闻译

《日本大陆政策的真面目》　国难资料编辑社 / 编

《民众动员论》　李公朴 / 著

《中国外交史》　钱亦石 / 编著

《太平洋军事地理》　蒋震华 / 著

《世界经济地理讲话》　思慕 / 著

《列强军力论》　［德］马克斯 · 威纳尔著 / 宾符　仲持　梅益等译

《近代国际关系史》　张铁生 / 著

《太平洋现势手册》　沈志远　石啸冲 / 编著

《近代世界政治史》　钱亦石 / 著

《从战争到和平——一九四五年的世界政治》　乔木 / 著

《战后日本问题》　思慕 / 著

《最近一年间的国际动态（1946.7–1947.6)》　《东北日报》社 / 编

《论政党》　翟放 / 著

《法与宪法》　韩幽桐 / 编著

《中华民国宪法刍议》　罗家衡 / 著

《民主 · 宪法 · 人权——作之民》　费孝通 / 著

《宪法论初步》　潘念之 / 著

《对反民主的抗争》　韬奋 / 著

《农村改进的理论与实际》　江恒源 / 著

《上海产业与上海职工》（上下）　朱邦兴　胡林阁　徐声 / 合编

《陶行知教育论文选辑》　陶行知著 / 方与严编

《中国通货膨胀论》　杨培新 / 著

《中国及其未完成的革命》　H·普拉特著 / 蒋天佐译

《中国的建设问题与人的训练》　卢作孚 / 著

《论中国特殊性及其他》　艾思奇 / 著

《中国经济问题讲话》　钱俊瑞　徐雪寒　王渔邨　姜君辰　骆耕漠 / 合著

《中国经济的道路》　许涤新 / 著

《中国财政之病态及其批判》　孙怀仁 / 著

《官僚资本论》　许涤新 / 著

《五四运动之史的评价》　陈端志 / 著

《中国通史简编》（上下）　中国历史研究会　范文澜 / 主编

《论文学的工农兵方向——读〈在延安文艺座谈会上的讲话〉》　雪苇 / 著

《中国近代史（上编　第一分册）》　武波 / 编著

《文学百题》　傅东华 / 编

《中国史学之进化》　周谷城 / 著

《论民族形式问题》　胡风 / 著

《论批评》　荃麟等 / 著

《中国史纲》（第一卷上下、第二卷上下）　翦伯赞 / 著

《近代中国思想学说史》（1–4）　侯外庐 / 著

《中国政治思想史》（上下）　吕振羽 / 著

《中国哲学史纲要》　向林冰 / 著

《中国政治史讲话》　钱亦石 / 著

《中国社会经济史纲》　王渔邨 / 著

《新财政学大纲》　千家驹 / 著

《太平天国革命运动论文集——金田起义百周年纪念》

华北大学历史研究室 / 编

《理性与自由——文化思想批评论文集》　胡绳 / 著

《战斗者的诗人》　黄药眠 / 著

《国语文法》　曹朴 / 著

《教育哲学》　张栗原 / 著

《妇女问题讲话》　杜君慧 / 著

《婚姻 · 子女 · 继承》　沙千里 / 著

《性教育新论》　布士克　雅各生合著 / 董秋斯译

《狱中杂感》　杜重远 / 著

《七人之狱》　沙千里 / 著

《爱迪生传》　伍况甫 / 译

《歌德自传》（上下）　歌德著 / 思慕译

《尼赫鲁自传》　［印度］尼赫鲁著 / 毕来译

《列宁传》　［苏］凯尔任采夫著 / 企程　朔望译

《罗斯福总统传》　C. Mackenzie 著 / 张尚之译

《托尔斯泰传》（1–3）　［英］阿尔麦 · 莫德著 / 徐迟译

《革命文豪高尔基》　［美］亚历山大·康恩著 / 韬奋编译

《鲁迅纪念特辑》　新中国文艺社 / 编

《回忆鲁迅先生》　萧红 / 著

《人民文豪鲁迅》　平心 / 著

《亡友鲁迅印象记》　许寿裳 / 著

《鲁迅思想研究》　何干之 / 著

《鲁迅研究》　夏征农 / 编

《过来的时代：鲁迅论及其他》　雪峰 / 著

《电影戏剧表演术》　洪深 / 著

《日常心理漫谈》　［美］约瑟夫·查斯特罗著 / 曾宝葹译

《心理常识漫话》　朱智贤　杨云美 / 著

《读书的方法与经验》　王任叔 / 著

《美国黑人生活纪实》　［美］加德维尔　斯坦倍克著 / 董秋斯译

《初访美国》　费孝通 / 著

《事业与成功》　［美］马尔腾著 / 汪原放译

《萍踪寄语（初集）》　韬奋 / 著

《一生的幸福前途——〈生活周刊〉信箱选集》　生活书店 / 编选

《深刻的印象》　生活周刊社 / 编

《海外的感受》　生活书店编译所 / 编

ISBN 978-7-108-04455-6

定价：17.00元